Strategic Study on Big Data and AI Empowerment for Intelligent Manufacturing for Advanced Chemical Materials

大数据与人工智能赋能化工新材料制造战略研究

钱 锋 等编著

化学工业出版社
·北京·

内容简介

本书立足于化工新材料产业长远发展需求，系统调研分析人工智能驱动下化工新材料制造的现状、核心挑战与发展路径。书中全面梳理了特种功能聚合物材料、特种纤维、微电子化工材料、纳米化工材料、催化新材料等关键领域的制造现状与“卡脖子”问题，深入阐述了大数据与人工智能驱动的核心技术在化工新材料研发、合成、加工及应用全流程的融合应用，阐明“数据+智能”驱动的化工新材料制造新范式，详细剖析典型企业智能化转型案例的实践经验，并总结了化工新材料智能制造近期及远期的重点任务与发展路线图，提出推动产业向高端化、绿色化、智能化转型的政策建议，为实现2035年人工智能驱动化工新材料制造技术战略蓝图提供技术支撑。

本书可供化工、新材料领域的研发人员、技术人员、管理人员阅读，也可供各院校材料工程、人工智能、智能制造、化学工程等相关专业的师生参考。

图书在版编目（CIP）数据

大数据与人工智能赋能化工新材料制造战略研究 / 钱锋等编著. -- 北京 : 化学工业出版社，2024.4

ISBN 978-7-122-44940-5

Ⅰ. ①大… Ⅱ. ①钱… Ⅲ. ①化工材料-材料工业-工业发展战略-研究-中国 Ⅳ. ①F426.7

中国国家版本馆CIP数据核字（2024）第075759号

责任编辑：刘丽宏　　文字编辑：吴开亮
责任校对：李　爽　　装帧设计：刘丽华

出版发行：化学工业出版社
（北京市东城区青年湖南街13号　邮政编码100011）
印　　装：天津裕同印刷有限公司
787mm×1092mm　1/16　印张 $10^1/_2$　字数187千字
2026年1月北京第1版第1次印刷

购书咨询：010-64518888　　售后服务：010-64518899
网　　址：http://www.cip.com.cn
凡购买本书，如有缺损质量问题，本社销售中心负责调换。

定　　价：118.00元

前言

FOREWORD

新材料是经济社会发展的物质基础，是高新技术和高精尖产业发展的先导，世界各国特别是工业发达国家高度重视新材料技术和产业的发展，提出和部署针对未来加速新材料发展的战略和研究计划。这些计划的实施，推动了大数据和人工智能在材料设计研发、生产制造和工程应用等领域的广泛应用，逐渐形成了新材料智能化技术体系，为从根本上解决新材料研发和应用效率低的瓶颈问题提供了新的技术途径。为此，中国工程院组织开展了“新材料研发与制造应用智能化发展战略研究”，旨在围绕新材料研发智能化关键技术、高端新材料智能制造与应用、大数据和人工智能驱动的先进钢铁材料制造技术、大数据与人工智能赋能化工新材料制造技术等开展战略咨询研究。

本书基于课题 4“大数据与人工智能赋能化工新材料制造技术”的战略研究成果编写而成。全书立足我国化工新材料产业长远发展大局，全面梳理了人工智能驱动下化工新材料制造技术的发展现状、核心问题与现实挑战，清晰勾勒技术突破路径，并提出未来发展的战略策略与实施路线。

全书共设 8 章，逻辑层层递进：首章剖析化工新材料制造技术的现状与发展态势，明确产业基础与短板；第 2 章聚焦大数据与人工智能驱动新材料制造的发展研究，奠定技术理论框架；第 3~7 章分别针对人工智能驱动特种功能聚合物材料、特种纤维、微电子化工材料、纳米化工材料、催化新材料五大关键领域，深入探讨其制造发展战略；第 8 章则提出人工智能驱动化工新材料制造的政策建议，为产业发展提供制度保障。书中结合智能制造典型生产案例，详细阐述关键化工新材料智能制造的基本理论、技术方法、发展目标与重点任务，明确重点技术突破方向，使战略路径更具落地性。

本书由华东理工大学钱锋院士组织编写，参编单位包括华东理工大学、东华大学、中石化（上海）石油化工研究院有限公司、上海集成电路材料研究院有限公司、鸿之微科技（上海）股份有限公司等。全书框架设计与统稿由华东理工大学钱锋、钟伟民负责。

本书主要编写人员有：

第 1 章　钱　锋　钟伟民　卢静宜　堵　威

第 2 章　钱　锋　钟伟民　卢静宜

第 3 章　赵　玲　林嘉平　奚祯浩　王立权

第 4 章　朱美芳　成艳华　陈林峰

第 5 章　李　剑　樊丽涛　龚　奎

第 6 章　李春忠　姜海波　张　玲

第 7 章　李　欣　曹　君　罗　翼

第 8 章　钱　锋　钟伟民　卢静宜

化工新材料研发智能化对我国新材料科技创新与产业升级意义深远，其发展水平将直接影响高端制造业与高新技术产业的前进速度。期望本书的出版，能为政府职能部门制定产业政策、科技工作者开展研发创新、产业界人士推进产业化实践，以及相关专业在校学生学习研究提供有价值的参考。

因编写时间仓促，书中不足之处难免，恳请广大读者批评指正。

感谢中国工程院战略研究与咨询项目（项目编号：2021-JJZD-04）的资助。

编著者

目录

CONTENTS

大数据与人工智能赋能化工新材料制造战略研究

Strategic Study on Big Data and
AI Empowerment for Intelligent Manufacturing for
Advanced Chemical Materials

第1章 化工新材料制造技术现状及发展态势

化工新材料指具有传统材料不具备的优异性能或特殊功能的新型材料，涵盖特种功能聚合物、特种纤维、微电子化工材料、纳米材料、催化材料等十余大类。其技术含量高、附加值高、配套性强，是国民经济的基础性、先导性产业，对推动经济高质量发展和支撑我国从石化大国向强国跨越具有关键作用。

近年来，我国化工企业通过自主研发或引进新技术、新装备消化吸收再创新，在化工新材料领域不断取得突破。然而，总体上我国化工新材料的产能、产量尚无法满足国民经济发展的需要，特别是高端产品生产能力偏弱，我国化工新材料制造仍处于爬坡过坎的关键阶段，面临着结构性产能过剩、自主创新能力偏弱、高端产品不足、核心技术受制于人的严峻局势，这制约了化工行业的高质量发展。

本章以特种功能聚合物材料、特种纤维材料、微电子化工材料、纳米化工材料以及催化新材料为例，阐述化工新材料制造的发展现状。通过剖析以上五大领域化工新材料的产业现状与技术瓶颈，精准识别装备依赖、工艺智能化不足、绿色化滞后等共性问题；结合全球竞争态势与国内典型案例，厘清“卡脖子”环节的深层根源，为后续提出智能化转型路径奠定基础。

1.1 化工新材料的重要性

化工新材料是指目前正在发展中的具有传统化工材料不具备的优异性能或某种特殊功能的新型化工材料，主要包括特种（功能）聚合物材料、特种纤维材料、微电子化工材料、纳米化工材料、催化新材料等十多个大类，应用于包括汽车、轨道交通、航空、电子信息、高端装备、节能环保、医疗器械、城市建设等在内的多个国民经济重要领域。化工新材料产业是重要的基础性、先导性产业，具有技术含量高、附加值高、与国民经济各部门配套性强等特点，是推动我国经济高质量发展和支撑我国由石油化工大国向强国跨越的重点关键领域。因而，化工新材料研发水平及产业化规模已成为衡量国家科技、经济实力的重要标志。

近年来，我国化工企业通过自主研发或引进新技术、新装备消化吸收再创新，在化工新材料领域不断取得突破，已在化工新材料市场占有一定份额，总产量逐年攀升。2021年我国化工新材料产量约2700万吨，总消费量高达3900万吨，总消费规模约11000亿元。然而，化工新材料产销率仍然高达144%。总体上，我国化工新材料的产能、产量尚无法满足国民经济发展的需要，特别是高端产品生产能力偏弱，产能、产量缺口较大。工业和信息化部2018年的调研结果显示：130多种关键基础材料中，32%空白，52%依赖进口，包括高端电子化学品、高端功能材料、高端聚烯烃等。我国化工新材料制造仍处于爬坡过坎的关键阶段，面临着结构性产能过剩、自主创新能力偏弱、高端产品不足、核心技术受制于人的严峻局势，这制约了化工行业的高质量发展。下面以特种功能聚合物材料、特种纤维材料、微电子化工材料、纳米化工材料以及催化新材料为例，阐述化工新材料制造的发展现状。

1.2 化工新材料制造的发展现状

1.2.1 特种功能聚合物材料制造的发展现状

我国传统三大合成材料（合成纤维、合成树脂/塑料、合成橡胶）生产能力和产量均已居世界前列，但随着全球科技的进步和应用领域的不断拓展，聚合物材料逐渐从合成纤维、大宗塑料等通用产品向特种化、功能化、智能化材料方向发展。特别是近年来全球在通信电子、人工智能、国防军工、航空航天等高科技领域的技术竞争越发激烈，发展具有独特性能的关键聚合物新材料已成为世界各国抢占的重要制高点。相较于欧洲、美国、日本等发达地区和国家，我国化工新材料的自给率偏低（仅为70%左右），高端聚合物材料“卡脖子”现象严重，受限于关键单体、聚合等技术壁垒，不少高端聚合物新材料仍未实现规模化生产，部分产品虽已国产化，但技术不成熟、成品率低、质量与进口产品差距较大，无材可用、有材不好用、好材不敢用现象仍十分突出。因此，高性能的特种聚合物材料的自主可控制造和规模制造一直是近年来我国石化/材料流程工业高质量发展的重点任务，也是在资源、能源和环境约束下国家产业技术创新与发展的重点内容，对于促进我国全面参与全球高科技领域技术竞争具有重要意义。

特种聚合物是指区别于一般大宗通用聚合物的具有特殊化学结构、特异功能和特种应用场景的高端聚合物，具有技术含量高、材料性能独特、产品附加值高等特点。根据聚合物受热变化的差异，可将特种聚合物材料分为热塑性特种聚合物材料和热固性特种聚合物材料。其中，热塑性特种聚合物的分子链都是线形或带支链的结构，分子链之间无化学键产生，受热软化变成液态时具有可塑性，冷却时则变硬回到固态，因该过程可反复进行（有的物质只能受热塑化一次，冷却固化后则不具有可塑性），所以可回收再利用；热固性特种聚合物材料是指在受热或其他条件下能固化或具有不溶（熔）特性的高分子材料，通常在高温时不易软化也不容易发生形变，尺寸较稳定，直至在分解温度发生炭化。

目前，特种聚合物主要包括特种工程塑料、特种弹性体、特种合成纤维、特种氟硅树脂、复合材料用树脂等，是航空航天、国防军工、电子信息、交通运输、新能源、环保等高科技领域的重要支撑材料。处于后工业化时代的发达国家多年前就开始致力于发展性能专门化、技术含量高的高端化学品和特种聚合物新材料，如美国陶氏（DOW）和杜邦（DuPont）、德国巴斯夫（BASF）、英国帝国化学工业（ICI）、日本三菱（MITSUBISHI）化学等国际知名化工公司的产品结构均出现较大的转变，销售的产品中聚合材料、结晶体及相应改性产品等达60%以上，新产品的开发更加关注于高性能的聚合物材料和高度专门化的特效化学品/材料等。

当下国内特种聚合物材料迎来巨大发展机遇。从政策上看，特种聚合物材料为国民经济发展、高端制造业升级和国防军工建设提供了关键保障，是国家战略性新兴产业的关键性产品，为推动其产业化进程，国家发布了一系列利好政策。《新材料产业发展指南》中将工程塑料作为先进基础材料的重点，旨在提高材料产业的国际竞争力；《重点新材料首批次应用示范指导名录》《战略性新兴产业分类》等持续鼓励特种工程塑料的应用和发展。从需求端看，全球对特种聚合物材料的需求正在逐年稳步增加，尤其是国内市场需求增长迅速，发展前景可观。随着国内新能源、5G、航空航天以及国防军工等产业的发展，必将带动对特种聚合物材料需求的增长。

我国特种聚合物材料研究起步相对较晚，工业基础薄弱，与国外领先企业相比差异巨大，国内企业普遍生产规模比较小，物耗、能耗比较高，生产成本比较高，生产技术比较落后，且自主创新能力不强，许多关键技术尚未突破，技术和产品以跟踪仿制为多，智能制造水平比较低，具有自主知识产权的专用、特种等高性能聚合物缺乏，在高端领域严重依赖进口产品，如电子信息产业发展所需的高端电子化学品进口依存度达90%以上。另外，我国特种聚合物材料领域还普遍存在工程转化能力薄弱的问题，一些材料停留于实验室，无法拿出能和国际先进产品竞争的工业化产品，而且对产品的应用研究不重视，造成我国特种聚合物材料的应用性能开拓和加工技术发展落后。

1.2.1.1 特种聚合物材料行业的挑战

（1）特种工程塑料

特种工程塑料是指综合性能特殊且长期使用温度在150℃以上的一类工程塑料，是高新技术发展不可或缺的革命性材料，属于国家重点发展的材料，是高端制造的关键保障。国际上，特种工程塑料的研制始于20世纪60年代后期，从60年代问世的聚酰亚胺到80年代初的聚醚醚酮，欧美各大公司对特种工程塑料进行了大量研究和开发，已成功开发了十余种具有应用价值并实现产业化的特种工程塑料，如聚酰亚胺（PI）、半芳香族聚酰胺（PPA）、液晶聚合物（LCP）、聚砜（PSU）、聚醚醚酮（PEEK）等，相应的薄膜产品、注塑产品广泛应用于电子、汽车、航空航天、精密器械等领域。我国特种工程塑料研制起步于20世纪90年代中后期，尽管已经初步实现了含氟聚酰亚胺（FPI）、聚对苯二甲酰癸二胺（PA10T）等材料的规模化生产，但迄今未能形成较大规模，且生产技术与国外先进水平相比差距较大，产业整体仍处于发展初期。目前，该类特种聚合物材料全球近80%的产量集中在美国、欧洲、日本等发达国家和地区，国内市场对国外的依存度超过了70%。其中，国内PI薄膜需求量的年均复合增长率高达10%，虽部分高端产品实现了国产化替代，但进口依存度仍有25%；国内PPA需求量保持8%以上的年增长率，进口依存度约为70%；国内LCP需求量保持6%以上的年增长率，进口依存度高达80%以上；国内PEEK需求量的年增长率高达15%～20%，但进口依存度也高达75%以上。

（2）热塑性弹性体

热塑性弹性体（TPE）是在常温下能展现出橡胶的高弹性，高温下又能塑化成型的新型高分子材料，是一种兼有橡胶和热塑性塑料特性的新型高分子材料，常被人们称为第三代橡胶。其结构特点是由化学键组成树脂段和橡胶段，树脂段凭借链间作用力形成物理交联点，橡胶段是高弹性链段，贡献弹性。树脂段的物理交联随温度的变化而呈可逆变化，显示了热塑性弹性体的塑料加工特性。热塑性弹性体具有优异的物理性能、化学性能且易加工，同时产品还具有无毒、无污染以及可回收二次加工等环保优势，在众多领域被广泛应用，包括家电产品、体育用品、汽车内饰、电子产品、医疗器械、电线电缆、建筑材料等。目前工业化生产的主要品种有聚苯乙烯类热塑性弹性体（SBC或称TPS）、热塑性聚烯烃弹性体（TPO）、热塑性聚氨酯弹性体（TPU）、热塑性聚酯弹性体（TPEE）、热塑性聚酰胺弹性体（TPAE）、热塑性硫化橡胶（TPV）、有机氟类（TPF）、有机硅类等，几乎涵盖了合成橡胶与合成树脂的所有领域。近年来，为满足耐高温、耐热油、高阻隔性、高绝缘性等特殊需求，特种弹性体作为高端制造的关键保证，战略地位不断提升。目前我国TPE制造在上游单体、催化剂、聚合技术及装备方面，与国外领先企业差距大。其中，聚烯烃弹性体（POE）催化剂受专利保护，成套装置转让受限，缺乏具有自主知识产权的POE核心技术。TPU和TPEE聚合单体及聚合技术装备已经国产化，但产品品质整体不高，应用领域受限，尤其是在医疗、电子、军工等高端高品质领域。TPAE的上游单体、聚合技术及装备国产化程度低，被国外化工巨头垄断。

（3）特种聚合物纤维材料

特种聚合物纤维材料包括聚丙烯腈基碳纤维、超高分子量聚乙烯纤维、芳纶纤维、碳化硅纤维、氮化硼纤维、聚芳酯纤维、聚对苯硫醚纤维、聚醚醚酮纤维等及各种新型功能纤维与智能纺织品。与传统纤维相比，特种聚合物纤维具有力学性能优异、化学性质稳定、质量小、耐腐蚀、耐高温、耐化学性强等特性，包括航天航空、交通运输、风力发电、电子、光纤电缆、军事、能源等领域对特种聚合物纤维的需求极速增加。截至2022年，轻型高强度特种聚合物纤维的市场规模已经接近280亿元。目前，N.V. Bekaert S. A.、3M、ACM、Aerocell和奥巴尔尼国际是全球特种聚合物纤维的主要供应商。聚丙烯腈基高性能碳纤维（PAN-CF）被称为“新材料之王”。目前，我国国产碳纤维与世界发达国家相比，在性能、质量及成本上还存在相当大的差距，大丝束和特色小丝束产品还依赖进口，高端碳纤维市场也被日本东丽、美国赫克塞尔等寡头垄断。2021年中国大陆地区实际销售量为29250吨，进口量为33129吨，国产碳纤维占市场需求的46.9%，但是国产碳纤维出口量很小。“十四五”是国防建设关键时期，碳纤维在无人机、导弹、卫星等航空航天新领域的应用迎来爆发，据测算，我国航空装备升级换代，未来新增碳纤维需求或将超过500亿元。市场需求旺盛，持续超高速增长，以风电为代表的市场需求飞速增长，但相应的有效供给相对不足，加上日本的禁售，导致碳纤维较为严重的供需失衡。如图1-1所示为2021年中国碳纤维来源及产量。

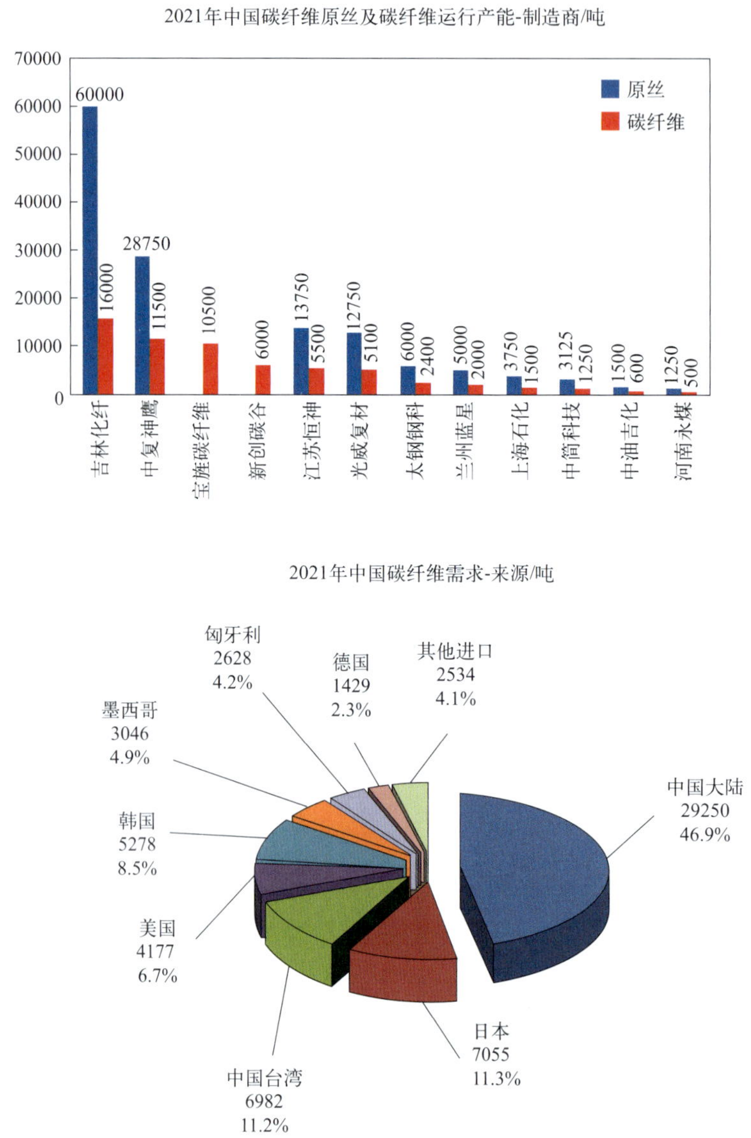

图1-1　2021年中国碳纤维来源以及产量

（4）氟硅材料

氟硅材料是在有机硅材料以及有机氟材料的基础上发展起来的一种新兴材料。氟硅聚合物由于其主链结构上的硅氧键和侧链结构上的含氟烷基，兼有氟碳橡胶高温耐化学腐蚀、耐油性能和硅橡胶优良的高温抗张保持率、低温柔软特性。国外专家认为氟硅橡胶是在−68 ～ 232℃宽温度范围使用的耐油、耐溶剂的唯一的合成橡胶，是现代军事工业、航空航天工业、汽车船舶工业、石油化工工业，以及医疗卫生领域不可缺少的特种材料。有机硅是唯一一类不依赖化石资源的百万吨级以上生产规模的高分子材料，具有优良的密封性、耐候性和生理惰性，因不受原料储量制约，未来发展潜力巨大。有机硅又称硅酮或硅氧烷，是由硅氧互相交联而成的硅氧烷有机聚合物。有机硅材料的基本结构单元由硅氧（Si—O—Si）链节构成，侧链通过硅原子与其他有机基团相连，这种特殊的组成和分子结构使有机硅材料集有机物的特性与无机物的功能于一身，表现出了优越的性能。硅橡胶与硅油是国内聚硅氧烷消费中最主要的有机硅产品，2021 年占比分别达 63.7%、32.4%，硅树脂与其他有机硅材料合计占比 3.9%。近年来我国对有机硅材料的需求旺盛，增长态势明显。据 SAGSI 统计，我国有机硅折算聚硅氧烷（DMC）表观消费量由 2010 年的 47 万吨增长到 2019 年的 109 万吨，年均复合增长率为 10%。国内新能源汽车、光伏、5G 等新兴产业发展势头强劲，带动有机硅需求持续释放。2017 年至 2021 年间，国内有机硅（折算 DMC）产能由 136 万吨/年增长至 187 万吨/年。2021 年至今，国内企业纷纷加快产能扩张步伐，截至 2022 年 4 月，国内有机硅产能达到 225 万吨/年（图 1-2）。在进口依存度上，低端有机硅产品基本完成进口替代，高温胶、硅油等高端产品的进口依存度有所下降（从 2014 年的 15.35% 下降至 2019 年的 12.43%），但进口比例依然较高；进口产品中，生胶和高温胶的进口占比最大，为 34.28%，其次是硅油和乳液，进口占比 31.44%。

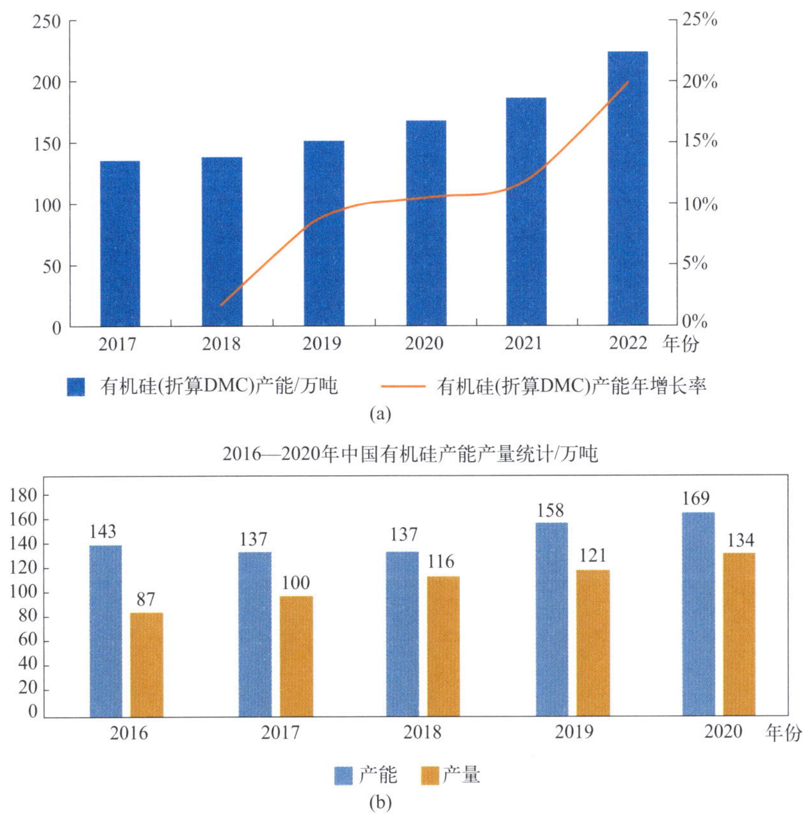

图1-2 有机硅折算聚硅氧烷（DMC）表观消费量（a）和中国有机硅产能、产量（b）

（5）复合材料用树脂

复合材料用树脂是指在航空航天、深海探测、电子封装等领域的高端装备上使用的树脂基体与特种纤维复合制成的先进树脂基复合材料，具有质量小的优点，是国防与国民经济建设不可或缺的战略性关键材料。树脂基体是纤维增强复合材料中最薄弱、最先受到破坏的组分，对复合材料整体性能起着关键作用。特种树脂的耐热性能、力学性能和功能性决定了复合材料的使用性能，而特种树脂的加工性能影响着复合材料的成型技术。2010年至今，全球树脂基碳纤维复合材料需求量逐年增加。根据《2021全球碳纤维复合材料市场报告》显示，2021年全球树脂基碳纤维复合材料需求量为18.15万吨，预计2025年达到28.51万吨。其中，热固性树脂基复合材料占75%。全球航空航天领域对树脂基碳纤维复合材料的需求量为2.54万吨，占比为14.0%，而销售收入为91.4亿美元，占全球总销售收入的45.6%。我国树脂基碳纤维复合材料的销售收入为61.8亿美元，占全球的30.8%，其中航空航天领域树脂基碳纤维复合材料的销售收入为215.38亿元人民币。相应地，全球对树脂基体的需求也呈现增长趋势。预计到2026年，全球高性能环氧树脂市场销售规模总额将增至135.3亿美元，2022—2026年复合年增长率为3.3%。据Data Bridge Market Research分析，2021年双马来酰亚胺树脂市场销售总额为9975万美元，预计到2029年销售总额将达到14738万美元，在2022年至2029年的预测期内复合年增长率为5.0%；在2021年至2028年的预测期内，聚酰亚胺薄膜市场的复合年增长率为7.3%，预计到2028年销售总额将达到51亿美元。

我国树脂行业存在结构性问题，高端产品严重缺乏，大量依赖进口。以环氧树脂为例，我国普通环氧树脂产能过剩，电子元件封装、覆铜板、功能性粉末涂料、电工浇注、汽车底漆和风力叶片等使用的对适用性、稳定性要求较高的高端高性能环氧树脂大量依赖进口，受国防科技因素以及贸易保护政策等影响，国外对我国禁售航空航天复合材料领域使用的高端环氧树脂。这给高端高性能环氧树脂产品，如具有耐高温、耐湿热、低吸水、低收缩、高导热、耐候佳等性能的环氧树脂产品的国产化提供了良好的发展机遇与市场前景。目前，国外高性能环氧树脂的生产厂家主要有东都、DIC、陶氏、亨斯迈；国内厂家主要有华谊树脂、常熟佳发和南通新纳西等。其中，亨斯迈的产品在全球占有较大市场份额，客户偏向选择性较大。“十四五”期间，航空航天、电子封装、覆铜板、高端装备等领域对高性能环氧树脂的需求的年增长率在6% ～ 7%，航空航天领域对特殊品种环氧树脂的国产化要求进一步提高，国内供应商也积极开展国产化替代工作。作为“十四五”期间的国家战略性物资，预计2025年国内对树脂基复合材料的需求约为10万吨，高性能树脂作为主要原料之一，在航空航天、电子电气、轨道交通及新能源等领域的市场需求量约为8400吨。如图1-3所示为中国环氧树脂产能、产量。

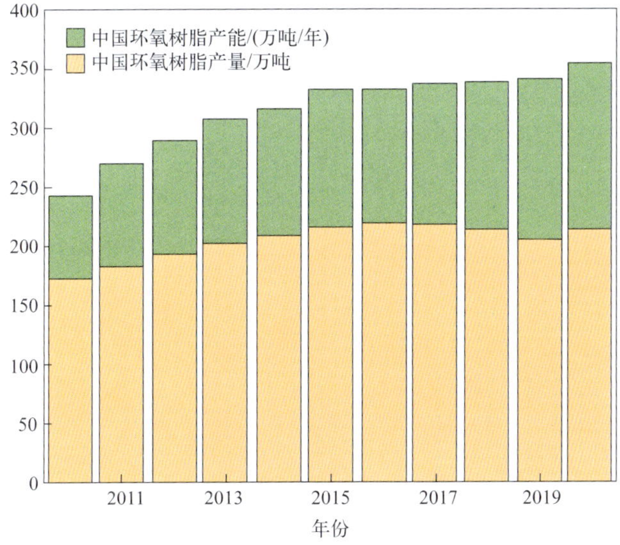

图1-3　2011—2019年中国环氧树脂产能、产量

综上所述，国内对各类特种聚合材料的研发起步均较晚，与国外先进水平相比差距较大，产业整体仍处于发展初期，行业内拥有话语权的国内企业极少。我国特种聚合物材料生产制造与加工应用面临的主要问题包括：

① 国内原始技术积累薄弱，与国外先进水平差距明显；

② 在关键单体与聚合技术装备领域，仍然没有突破国际主流跨国公司的技术壁垒；

③ 国内生产的高端产品普遍存在批次稳定性差等问题，关键核心产品高度依赖进口；

④ 企业结构不够合理，基础树脂合成企业少，改性加工型企业多，限制了材料产业上游的发展；

⑤ 技术投入不够，产品开发与市场服务脱节，高端应用需求落后于国外发达国家，本土企业的竞争力较差；

⑥ 智能制造水平低，生产成本高。

1.2.1.2　制造技术现状分析

当前国内高分子材料行业总体面临产品同质化、产能严重过剩、企业盈利能力不足、产品竞争力不强等诸多难题，主要矛盾集中于低端产品严重过剩，高端产品大量依赖进口。相较于三大通用合成材料，特种聚合物材料技术含量高，产品性能突出。目前其成熟的规模化生产技术主要集中在美国杜邦、荷兰皇家帝斯曼、比利时索尔维以及日本三菱化学等化工巨头手中。相较而言，国内特种聚合物材料的产业化开展较晚，大型石化企业更多地聚焦于三大通用合成材料的技术发展和生产规模放大，而对于量少、价高的特种聚合物材料缺少长期的技术积累和产业攻关，导致高端材料行业长期存在系列关键单体缺失、聚合技术壁垒高、特种装备与控制技术落后等瓶颈，一直受到国外化工巨头的扼制。近年来，在国家相关科技政策支持下，国内相关研究机构围绕特种聚合物材料关键单体、制备技术、加工与应用、关键装备等开展了广泛深入的基础研究和技术攻关，已经具备了较好的研究基础，但在工程化、产业化及工程应用方面，尤其是应用于IC芯片制造与封装、光电显示、国防军工、深海深空等领域的关键材料的生产，与美国、日本等工业强国相比还有较大差距。

（1）特种工程塑料制造技术现状

以最常用的特种工程塑料半芳香族聚酰胺（PPA）为例，其主要由脂肪族二元胺或芳香型二元酸与含苯环的二元酸或二元胺缩聚而成，由于在分子链中引入了大量刚性的苯环，力学强度和耐热性较脂肪族聚酰胺均有较大的提升，同时吸水率大幅度降低。而与芳香族聚酰胺相比，半芳香族聚酰胺的分子量中多了柔性的脂肪族结构，熔点更低，有效地改善了芳香族聚酰胺的加工性能。因PPA兼具芳香族聚酰胺优异的性能和脂肪族聚酰胺良好的成型加工性，经过多年发展，现已成为特种工程塑料中最主要的品种之一，被广泛应用于电子、电器、汽车等领域。目前国外PPA主要品种PA4T、PA6T、PA9T、PA10T的总产能已经超过了15万吨/年，主要集中于美国杜邦、荷兰皇家帝斯曼、瑞士艾曼斯、比利时索尔维、德国巴斯夫、法国阿科玛以及日本三井化学、可乐丽等化工巨头。

PA6T是半芳香聚酰胺的中游中间产品，目前的半芳香族聚酰胺品种几乎都是在其基础上进行的共聚改性品种，因此以其为例简单介绍典型的制备工艺。如图1-4所示，首先采用己二胺和对苯二甲酸为原料，先在水中进行成盐反应制备PA6T盐，PA6T盐再和PA6I盐（由己二胺和间苯二甲酸制备）、PA66盐（由己二胺和己二酸制备）、己内酰胺等进行溶液缩聚得到PA6T预聚体，预聚体进行固相缩聚得到PA6T树脂。

目前，针对不同的树脂，各生产商都会采用一些自有的技术及工艺进行半芳香族聚酰胺的生产，如可乐丽采用独有的技术将丁二烯二聚物进行异构化、氢甲酰化、氨化后得到壬二胺和*N*,*N*'-二甲基-1,8-辛二胺的混合物，直接与对苯二甲酸聚合得到PA9T。帝斯曼公司掌握着全球唯一的丁二胺工业化生产路线，以丁二胺、对苯二甲酸、己二酸等多种单体为原料，推出了PA4T，该产品的力学性能与PA6T相当，但结晶度和玻璃化转变温度高于PA6T，在耐高温领域应用广泛。

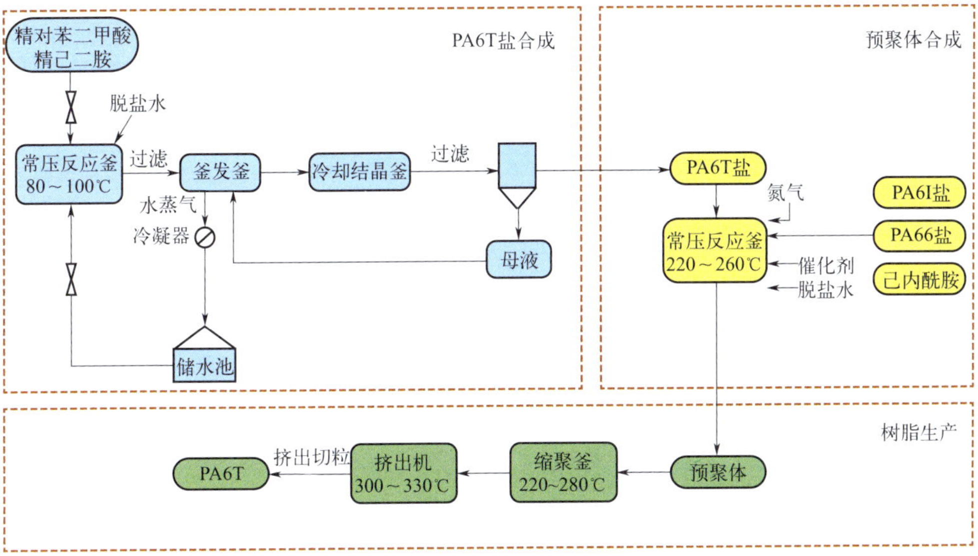

图1-4　PA6T的生产工艺流程示意图

相较而言，国内半芳香族聚酰胺的产业化开展较晚，早期没有半芳香族聚酰胺的生产能力，近年来已实现PA6T和PA10T的工业化生产，但目前规模皆偏小，技术积累时间短，市场占有率低，产品竞争力仍显不足，市场消费仍大量依赖进口，从技术到市场都长期受到国外化工巨头的扼制。国内电子、航空等行业的快速发展带动了PPA需求的快速增长（2025年超5万吨），与之相矛盾的是，目前国内半芳香族聚酰胺总产能不足1.5万吨/年，主要生产企业包括广东金发科技股份有限公司（国内最大，但仍以间歇聚合为主）、广东江门市德众泰工程塑胶科技有限公司、青岛三力化工技术有限公司以及浙江新和成股份有限公司，但受限于丁二胺、己二胺、壬二胺等关键单体和相应聚合技术的壁垒（国内只能生产癸二胺和少量长碳链二元胺），目前国内产品品种少，质量参差不齐，改性加工等技术积累和产品牌号开发不足，除金发科技PA10T产品外，其他产品尚无法和国外公司的产品直接竞争，严重制约了国内半芳香族聚酰胺产业和下游电子、汽车、航空、航天等产业的发展。

类似地，热致性液晶高聚物（TLCP）材料是一种主链上含有大量刚性苯环结构的芳香族聚酯类材料，具有刚性棒状分子链结构，可在一定温度条件下保持高度取向排列（液晶行为），从而体现出优异的耐高温、耐辐射、耐水解、耐候性、耐腐蚀、小热膨胀系数、高抗冲击性、高刚度以及高吸振性等特点，作为特种工程材料被广泛应用于电子电器、汽车工业、航空航天、国防军工等领域。由于分子结构的特殊性，部分TLCP还具有介电常数小、正切损耗小、介电常数温度特性好、密封性良好等优点，被誉为“21世纪超级工程材料”，用其制成的TLCP基微波器件，因独特的高频高速、超大容量、超低时延等性能，已成为保障5G信号传输的关键支撑材料。

目前，全球液晶高聚物产能约为8.5万吨/年，且主要集中于日本及美国的企业，而国内起步较晚，虽有万吨产能（以沃特股份为主），但技术和产品质量落后，市场长期被国外企业垄断。TLCP的生产工艺有两种，包括两步法和一步法，其中两步法是目前TLCP工业化生产的主要方法。如图1-5所示为TLCP的生产工艺流程示意图。两步法工艺主要包括：

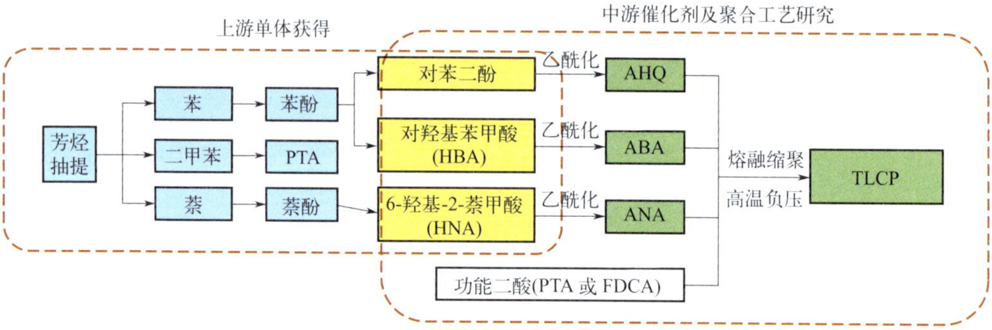

图1-5 TLCP的生产工艺流程示意图

① 对羟基苯甲酸、对苯二酚或6-羟基-2-萘甲酸分别在醋酸酐及乙酰化催化剂作用下，乙酰化成相应的乙酰氧基单体。乙酰氧基单体通过洗涤、重结晶、提纯、干燥，得到高纯度乙酰氧基单体。

② 乙酰化的单体及功能二酸在催化剂及高温负压作用下发生熔融缩聚，排除副产物乙酸，得到TLCP。

全球TLCP的主要供应商包括塞拉尼斯（2.2万吨/年）、宝理（1.5万吨/年）、住友化学（1.0万吨/年）等，均以两步法工艺为主，采用间歇聚合方式生产，部分产品还需通过固相增黏方式进一步提高分子量以获得相应性能的材料产品。沃特股份LCP的业务源自2014年收购三星精密（全部LCP业务），其成为全球唯一可以连续生产3个型号（Ⅰ型、Ⅱ型、Ⅲ型）的LCP及复材的企业，目前产能8000吨/年。其余国内生产企业如金发科技、普利特虽建有千吨级聚合装置，但均采用间歇聚合方式生产，实际产量均较小，且批次间产品质量不稳，仅用于同其他热塑性材料共混改性，聚合技术与加工技术均有待提高。虽然LCP基膜覆铜板在15GHz以上的高频条件下已经呈现出比PI基覆铜板无可比拟的性能优势，成为5G商用战略支撑材料，发展空间广阔，但由于LCP分子具有很强的取向，流动时在剪/切应力作用下容易形成单一的取向排列，因此，LCP很难通过传统的流延或者吹膜方式实现百微米厚度以下的均匀成膜，急需开发专用的模头结构、吹膜工艺、关键覆铜技术与装备，突破高频高速覆铜板技术障碍，从而加速推进其未来国产化。

（2）特种聚氨酯弹性体制造技术分析

热塑性聚氨酯弹性体（TPU）是大分子二醇（聚酯或聚醚）、二异氰酸酯（MDI、HDI、PPDI、H12MDI）和小分子扩链剂（二醇或二胺）加成聚合而成的嵌段共聚物。与通用的塑料和橡胶材料相比，TPU既有橡胶材料的高弹性，又有工程塑料的高强度、可重复加工性，具有硬度范围广、力学性能突出、耐高/低温性能优异、加工性能好、可塑性强、可设计性强、透明性能优异等优越特性。TPU作为新型环保材料，能够有效替代PVC、橡胶、EVA、硅胶等传统材料，广泛用于鞋材、薄膜、汽车部件、工业注塑件、密封圈、熔纺氨纶、物探线缆、电线电缆、导尿管、人造血管等工业和医疗卫生领域的产品。TPU最早于1958年由德国拜耳研制成功，随后德国巴斯夫、美国诺誉等化工企业相继研发成功。亚洲地区最早是由日本引进德国的TPU生产设备，随后TPU生产技术从日本传入中国台湾。中国大陆地区于20世纪80年代开始接触到TPU生产技术，但由于在工艺研发等方面存在一定的壁垒，TPU市场一直未有突破。直到20世纪90年代以后，随着对TPU材料的需求不断增长，在欧美企业以及台资企业进入大陆后，部分大陆企业开始进行TPU的生产与销售。

中国TPU生产虽起步较晚，但发展迅速，近年来中国TPU产能不断释放，已经成为全球最大的热塑性聚氨酯弹性体市场，2021年总产量超过64万吨，预计2022—2027年我国TPU市场年均复合增长率约为9.5%，2027年消费量将增至100万吨左右。当前国内TPU生产企业主要分为三类。第一类是以万华化学、华峰集团、亨斯迈、巴斯夫、科思创为代表的拥有MDI或己二酸等主要原材料规模化生产能力的、TPU产能在15万吨/年以上的企业，其特点是拥有雄厚的化工生产基础、产业链长、整体规模大，业务领域也不限于TPU行业。第二类是以美瑞新材、一诺威为代表的产能在5万～15万吨/年之间，专注于TPU的研发和生产，并以技术创新和专业服务为核心的企业，这类企业近年来成长迅速，技术实力较强，在市场开发、客户服务等方面体现出竞争优势，在细分市场中发展较快。第三类是数量众多的小型企业，TPU产能在5万吨以下，产品单一、技术含量低，生产环境存在不同程度的安全或环保问题，这类企业竞争力相对不足。

目前国内企业的TPU产品主要集中在低端市场，中高端产品覆盖面与国外公司产品相比有一定差距。因此，不断加快TPU技术进步和加强新产品开发力度，加快TPU高端产品，包括纤维级TPU、胶黏剂用TPU、消费品和体育用品TPU、薄膜级TPU、医疗级TPU、耐高温TPU、耐黄变TPU等新型特种材料的开发是当前我国TPU行业发展的方向。特种TPU产品的技术门槛高，产品附加值高，生产特种TPU所需要的核心原料市场价格较高，部分需要依赖进口，尤其是特种异氰酸酯垄断在国际化工巨头手中，采购量受到严重制约，采购价格居高不下，在一定程度上限制了国内TPU生产企业的快速发展。因此，龙头企业全方位、高层次布局，深化完善产业链，向TPU上游产业链延伸，通过自主开发特种异氰酸酯解决特种TPU部分核心原材料被制约的问题，带动行业高质量发展是破局的关键。

2021年，万华化学MDI产能共265万吨/年，占全球总产能的27.1%，预计到2025年万华化学MDI总产能达490万吨/年左右，占全球总产能的38.07%。基于核心原料优势，万华化学TPU现有产能15万吨/年，远期规划30万吨/年，产品覆盖全系列：TPU树脂、TPU改性和TPU功能母粒。万华化学在实现量产目标的同时，还提升了TPU产品自身的软实力。针对这一目标，其于2022年开展了年产2.5万吨特种异氰酸酯型高端热塑性聚氨酯弹性体（TPU）技改项目，改造后相关生产线可生产ADI型和TDI型高端TPU产品，兼顾MDI型普通TPU产品生产。另外，万华化学以生物质材料为原料的生物基TPU产品WHT-ECO13595获得了UL绿色环境声明验证证书，这是业内首个获得UL认证的生物基TPU产品。其与传统的TPU相比，在不牺牲任何综合性能的前提下，具有对环境友好、原料可再生、低碳环保等特性。据统计，每使用一吨生物基TPU，比使用非生物基TPU可以减少20%～40%的碳排放，对双碳目标的实现贡献显著。万华化学基于生物基一体化平台进行深入研究，目前已开发出生物基占比10%～100%的TPU产品，涵盖聚酯、聚醚等多类产品。

（3）聚丙烯腈基高性能碳纤维制造技术分析

长期以来，PAN基高模量碳纤维关键制备技术一直被国外少数碳纤维生产企业所垄断，我国国防军工中用于结构材料的高性能碳纤维几乎全部依赖国外产品。尤其是最近几年，以日本东丽、美国赫克塞尔（Hexcel）为代表的国外企业在PAN基高模量碳纤维领域不断取得技术突破，引领着该领域技术的创新发展。当前，全球碳纤维主流生产技术掌握在日本、美国等少数国家手中，主要代表厂商有日本东丽（Toray）、东邦（Toho）及三菱丽阳（MITSUBISHI RAYON）、美国赫克塞尔和德国SGL等公司。主要产品包括以美国产品为代表的大丝束碳纤维和以日本产品为代表的小丝束碳纤维两大类。拉伸强度和拉伸模量是衡量碳纤维性能最主要的两大指标。日本东丽于2014年已开发出TORAYCA®T1100G高拉伸强度和高弹性模量碳纤维，而我国企业近年来才逐步实现T700级碳纤维的批产供应。T1000级和T1100级碳纤维各项技术参数全面超越T700级和T800级碳纤维，之前世界范围内实现T1000级和T1100级高性能碳纤维工业化生产的只有日本东丽和美国赫克塞尔，几乎垄断着航空航天高性能碳纤维市场。我国于近几年实现了T1000级碳纤维的工业化生产。

聚丙烯腈（PAN）基碳纤维的生产系统是极其复杂的技术系统，技术壁垒高，工艺流程复杂，其主要生产步骤如图1-6所示，主要包括AN的聚合，PAN纺丝，PAN原丝氧化、碳化等一系列处理工序。

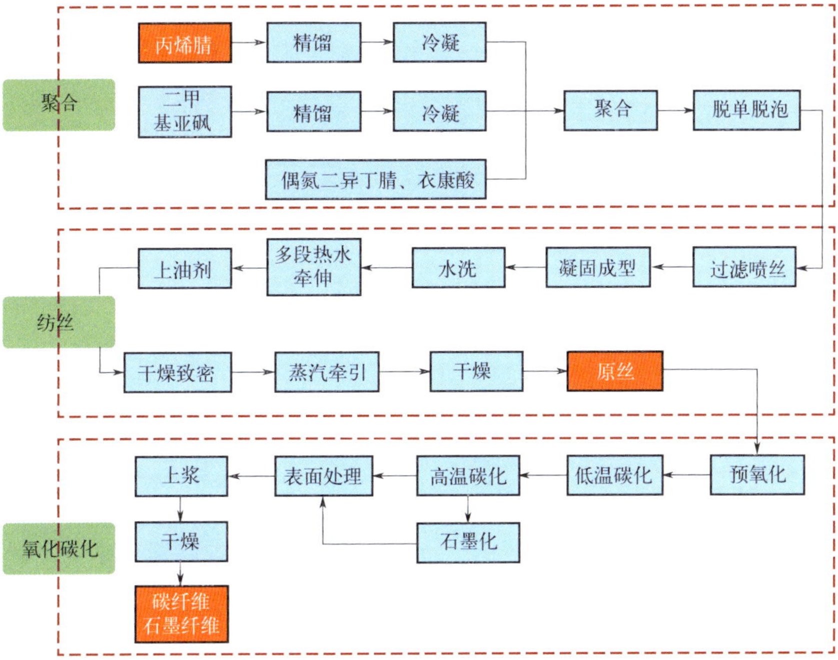

图1-6　碳纤维制造流程

其中，原丝生产工艺为碳纤维生产的核心技术，原丝质量的好坏直接决定了碳纤维产品的质量、产量、生产成本和市场竞争力。原丝生产工艺有湿法纺丝、干法纺丝和干喷湿纺三种。湿法纺丝是纺丝原液从喷丝头流出后直接浸入凝固液中，这种方法工艺简单、容易控制，典型产品是东丽生产的T300、T800，通过这种方法制备的碳纤维表面有沿纤维轴向排布的沟槽，有利于碳纤维与树脂的物理啮合，提高复合材料界面的结合性能，但同时沟槽也是缺陷，容易产生应力集中，影响碳纤维的拉伸强度。干喷湿纺是原液从喷丝头流出后先经过空气再浸入凝液中，纺丝速度快，纤维致密，表面光滑，PAN分子链段沿纤维方向排列取向优化，拉伸强度更高，但缺点是纺丝原液细流断裂后原液容易沿喷丝头漫流，严重影响纺丝过程的连续性，同时容易残留有机溶剂。干喷湿纺工艺有效结合了干法和湿法，在纺丝速度和原丝性能方面均具有明显优势，具有生产效率高、碳纤维品质好、生产成本低等优点。目前，国际高端牌号碳纤维主要采用干喷湿纺技术生产，如T700、T800、T1000。国际上日本东丽和美国赫克塞尔率先实现了干喷湿纺工艺的突破，纺丝速度高达600～1200m/min。我国干喷湿纺工艺由中复神鹰于2013年突破，目前光威复材、恒神股份等也突破了干喷湿纺工艺，纺丝速度达到400m/

min以上，是传统湿法纺丝的5倍，基本实现了对T300级至T1000级、M40级产品的覆盖，产品性能指标与对应的日本东丽的产品相当。但由于干喷湿纺生产技术难度较大，仅有少量企业掌握并生产出成熟的碳纤维产品。

通过这几年的技术发展，我国碳纤维技术水平逐渐缩短了与国外的差距，已经跨越了低达产率的历史阶段，达产率已经趋近国际水平，但在应用技术开发及产业链生态上仍较为薄弱。需要提高干喷湿纺技术的成熟度，突破高拉伸强度和高弹性模量碳纤维关键制备技术，推进高端碳纤维的国产化。

（4）有机硅制造技术分析

有机硅行业的产业链是“有机硅原料—有机硅单体—有机硅中间体—有机硅深加工产品”，如图1-7所示。目前，有机硅单体的生产主要采用直接法合成甲基氯硅烷工艺技术，即硅单质和氯甲烷在CuCl催化剂作用下，经流化床反应生成甲基氯硅烷混合单体。该方法工艺简单、不使用溶剂、易于实现连续化生产，是有机硅单体合成唯一实现工业化生产的工艺。合成得到的混合甲基单体通过精馏分离出一甲单体、二甲单体、三甲单体和高沸物等不同组分；再经水解、裂解等步骤生成有机硅基础聚合物，通过进一步加工可以生产各种有机硅产品。有机硅产品繁多，主要为根据不同用途研发的有机硅深加工产品，上游有机硅原料、有机硅单体和有机硅中间体品种、规格较少。

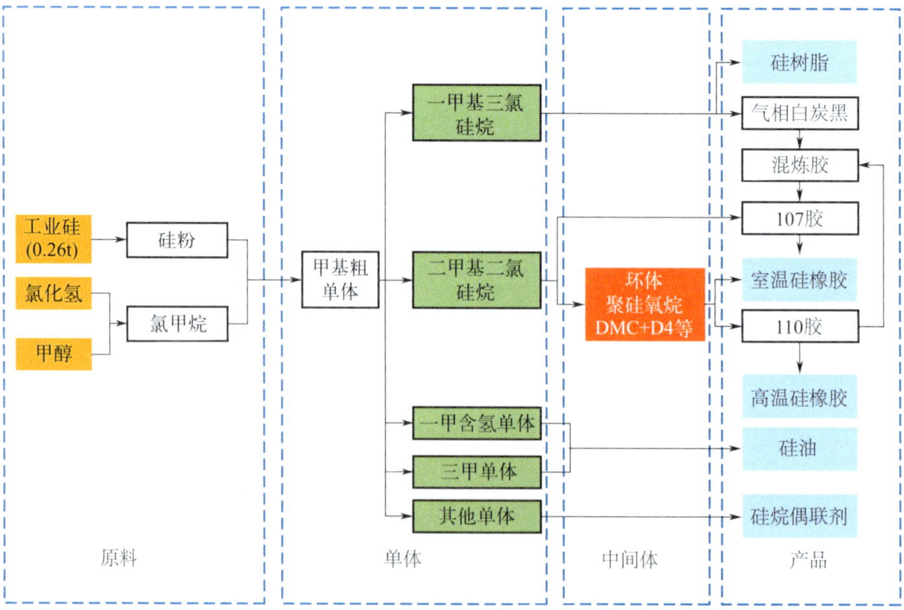

图1-7 有机硅产业链

新中国成立初期，在严密的技术封锁下，为满足国防军工发展的需要，我国自1951年开始进行有机硅产品的研究和工业生产，并在20世纪50年代末初步掌握了搅拌床合成甲基单体技术。从20世纪50年代末开始，我国有机硅行业在继续完善搅拌床工艺的同时开展了流化床工艺的研发。在原化工部晨光化工研究院、上海树脂厂等研究院所和工厂的共同努力下，经过十多年的探索和实践，我国于1971年成功开发出第一台合成甲基单体的流化床，从而奠定了我国流化床直接法合成甲基单体的技术基础。1995年，原化工部在江西星火化工厂建成了国内首套使用流化床工艺合成甲基单体的万吨级生产装置，使我国有机硅生产能力迈上了一个新台阶。1997年，我国甲基单体总产量首次突破1万吨大关，2003年首次突破10万吨。进入21世纪，随着国内企业不断完善工艺、增建和扩建生产装置，有机硅生产形势不断向好。同时，我国国民经济的快速发展成为有机硅工业发展的强劲动力，国家陆续出台了一系列政策支持行业发展，有机硅行业进入蓬勃发展时期。近两年国内有机硅行业进入了快速扩产期，在国外巨头暂无扩产计划的情况下，有机硅行业的增量全部来自国内新增产能。合盛硅业新疆鄯善基地投产，目前有机硅产能56万吨/年，位居国内第一。新安化工有机硅单体的产能达34万吨/年，仅次于信越，在全球产能的比重达6.16%，东岳硅材、内蒙古恒业成有机硅单体产能达25万吨/年，占全球产能的比重为4.53%，三友化工和兴发集团的有机硅单体产能也达到了20万吨/年，占全球产能的比重达3.62%。

然而，中国销售的有机硅产品主要集中在产业链中上游，而且技术上存在以下两方面主要问题:

① 受制于精单体的提纯分离技术，诸多单体和中间体仍以混合物形式存在，只能用于较低端有机硅产品生产;

② 聚合产生的中间体DMC产品的品质与几大国外企业的产品仍有一定差距，诸如DMC聚合困难、室温硅橡胶浊度高、混炼胶及其制品黏膜、制品无法满足恶劣环境中敏感电路和电子器件及医疗行业的要求等问题。

这些问题导致产品质量差，加之品牌建设与几大海外企业的差距，导致我国有机硅生产企业的产品相对低端，市场份额相对不高。

（5）复合材料用树脂制造技术分析

复合材料用树脂的制造涉及树脂的研制和复合材料的成型等技术。随着高性能复合材料的广泛应用，树脂基复合材料制造工艺朝着多元化、自动化方向快速发展。复合材料成型工艺从两三种（手糊和手工铺贴）发展到近10种（自动铺放）。2020年年底，复合材料构件自动化制造的比例达到65%以上。据《2021全球碳纤维复合材料市场报告》显示，从2021年全球树脂基碳纤维复合材料生产工艺分布来看，缠绕拉挤工艺占比36.1%，预浸铺放工艺占比28.8%，混配模成型工艺占比12.3%，RTM工艺占比7.2%。缠绕拉挤工艺再次超越预浸铺放工艺，保持业界第一大工艺的地位。C919研制项目推动了我国复合材料自动化工艺技术发展。大飞机研制之前，国内各大飞机制造公司没有大型复合材料零件生产的自动化设备，如预浸料自动铺带机、热隔膜成型机、大型无损检测设备、大型热压罐等。复合材料的铺贴一般采用手工铺贴，制造效率低，产品重复性也差。针对这种情况，国内航空制造企业有计划地采购了国外成熟的制造设备，诸如预浸料自动铺带机、自动铺丝机等先进设备陆续安装调试并投入使用，为大型复合材料的研制提供了保障。我国具有了可以快速、稳定铺放大尺寸复合材料的国际顶级设备和能力。另外，复合材料热隔膜成型设备、复合材料超声波裁断机、大型水割设备、大型C扫描等先进自动化设备也已成为国内复合材料零件供应商的生产装备。

我国树脂基复合材料的制造存在以下问题。

① 国产复合材料自动化成型工艺的应用比例较小，主要局限于航空和航天等高端领域，民用复合材料仍以传统的手糊或手工铺贴成型为主，与国外的自动化制造水平存在明显差距。工艺落后使复合材料性能离散大、成品率低、成本高，这成为制约高性能复合材料发展的突出问题。

② 复合材料制造关键装备技术水平薄弱，以引进为主、仿制为辅，部分装备如热熔预浸机、缠绕机、热压罐、热压机的设计制造以及复合材料自动铺放设备、预浸料自动拉挤设备的研制虽取得一定突破，但在科研和生产中对进口装备的依赖程度仍较高。

③ 复合材料制造虽从手工铺贴发展到自动化阶段，但实现智能制造还有很长的路要走。

近年来，国内开发了与复合材料成型工艺相匹配的树脂体系。比如，国内已掌握低成本液体成型工艺并实现了工程应用，也开发了系列工艺性和力学及耐热性能优良的液态成型树脂体系，这些液态成型树脂体系突破了低黏度化等技术难题；还开发了与各树脂体系匹配的定型剂，建立了相应的材料和工艺标准，多个型号实现了工程应用，扩大了树脂基复合材料的应用范围。我国在树脂基体方面存在的问题和差距主要表现为:

① 研发力量薄弱，研究主体以高校与科研院所为主，与企业开展的复合材料应用研究相对脱节，而且树脂的研发以试错法为主，常采用跟踪式的研究方式;

② 高品质、高纯度树脂规模化生产的能力低;

③ 针对高端制造领域对先进复合材料的要求，树脂复配体系设计能力有待加强;

④ 高性能树脂基体产业化能力不足，缺乏满足低频段、全向隐身、透波、低密度、防/隔热、防弹等性能要求的产品;

⑤ 树脂的批次稳定性差，增加了复合材料制备工艺和构件质量的控制难度。

综上所述，我国特种聚合物材料化学基础研究尚可，但工程技术储备不足，生产制造水平落后，智能化生产管理水平偏低，总体技术与产品同国际先进水平相比有较大的差距，高端制造（关键单体、聚合工艺、产品、装备）创新能力不足，核心技术大多掌握在国外公司手中，供给存在严重的结构性短缺，电子、航空航天、国防用特种聚合物材料“卡脖子”现象严重。为顺应国内高分子材料高性能化、多功能化、绿色化发展趋势，应加强特种聚合物材料和关键前沿新材料布局，加大先进信息技术与新材料产业的深度融合和应用技术研发力度，以战略性新兴产业和重大工程建设需求为导向，优化高分子材料产业化技术及应用市场环境，提高特种聚合物材料自主制造、智能制造和应用的水平，从而推进新材料融入高端制造供应链，推动特种聚合物材料技术及相应新兴产业发展。

1.2.2　特种纤维制造的发展现状

1.2.2.1　特种纤维材料行业挑战

化纤工业是我国具有国际竞争优势的纤维材料制造产业，是纺织产业链稳定运转和持续创新的核心支撑[1]。“十三五”期间，我国化纤工业继续推进结构调整和产业升级，实现行业规模平稳增长。2019 年我国化学纤维产量约为 5.95×10^7t，约占全球化学纤维总产量的 80%。2020 年我国化纤产量为 6025 万吨，比 2015 年增长 24.6%，占全球的比例约为 74.5%，占纺织原料的比例达到 84% 以上。特种纤维是继化学纤维之后出现的新一代纤维材料，它们是由化学纤维改性而成，或是采用新型聚合物纺制而成的纤维[2]。随着原子能、人造卫星、航天飞行、宇宙开发等的发展，特种纤维正在不断发展[3]。特种纤维主要包括差别化功能纤维、高性能纤维、生物基纤维等。目前我国特种纤维产业发展面临一些突出问题，如同质化现象严重，导致产品附加值低[4]，高性能纤维的品质和成本不具有市场竞争优势，生物基纤维产品生产规模小、成本高，尚不能实现对石油基纤维产品的有效替代。当前，在国际纺织产业再分工的背景下，这些问题制约着我国特种纤维产业的可持续发展，难以形成产业的国际竞争优势。此外，“卡脖子”的技术、先进设备制造和智能化生产等问题也严重阻碍了我国特种纤维的产能，尤其是在生产碳纤维、UHMWPE 纤维、沥青基碳纤维、陶瓷纤维、三聚氰胺甲醛纤维、PBO 纤维、PIM 纤维、PEI 纤维、芳纶纤维、PAI 纤维和 PBI 纤维等的过程中，还面临着巨大的挑战。

我国生产碳纤维的时间短，缺乏低成本的成套自动化生产设备，导致生产效率低、产品稳定性不足等问题[5]。长期以来，国内碳纤维市场中进口碳纤维的供给量远超国产碳纤维。2020 年下半年以来，日本、美国加强了对向我国出口碳纤维的管控，导致我国碳纤维境外供应难度进一步加大。目前来看，进口受限的碳纤维品种主要集中在航空航天领域的高性能小丝束碳纤维。高端碳纤维在飞机上用得最多，目前，美国 F-22

和F-35战斗机上使用的碳纤维都来自美国亨斯迈公司。在波音787机型上，使用东丽生产的碳纤维复合材料已占总材料用量的50%。2016年，东丽的碳纤维产量约为4×10^4t。2019年，我国碳纤维的需求量约为3.8×10^4t/a，但超2/3为国外碳纤维。而我国碳纤维企业有30多家，总产能2×10^4t/a左右，实际产量约7×10^3t[6]。同时，我国高端碳纤维/环氧树脂复合材料严重依赖进口。在航空领域应用时，普遍要求环氧树脂玻璃化转变温度不能低于180℃，而目前国产树脂领域的绝大多数生产企业还不具备相关技术。

在高性能UHMWPE纤维方面，荷兰皇家帝斯曼集团、美国霍尼韦尔国际以及日本东洋纺株式会社、三井化学株式会社等传统优势企业共同处于市场垄断地位。在很长一段时间，UHMWPE纤维成为制约我国军警防弹防护、海洋大型船舶等发展的“卡脖子”材料。在芳纶纤维方面，美国杜邦公司的对位芳纶（Kevlar）、间位芳纶（Nomex）以及日本帝人株式会社的产品占据全球主要市场，形成了规格完整的产品系列，近年来发展了定制化技术，开发了增强橡胶用的Kevlar29AP、Twaron1015芳纶纤维，以满足工业领域的应用。俄罗斯的新一代杂环芳纶纤维Rusar的强度高达6.0GPa，相比于Armos纤维提高了20%以上。我国相继由3家单位实现了PIM纤维的产业化，而且工艺技术各不相同，目前已发展成为世界领先的耐高温纤维品种。我国聚对苯撑苯并二噁唑（PBO）纤维行业起步较晚，但是发展速度较快，其规模化生产打破了长期的国外垄断，填补了国内空白，由于产业基础薄弱，为促进我国军工、航空航天、民用高新产业的快速发展，仍有很大的成长空间。PEI纤维的基本品种只有日本可乐丽株氏会社独家生产，产能600t/a，强度2.6cN/dtex，断裂伸长率＞0，在180℃时的热收率＜3%，LOI＜31，遇火焰时烟密度只有0.2。MLA纤维又称三聚氰胺甲醛纤维，具有三向交联结构，目前由美国巴斯夫公司独家生产，产能1500t/a。

此外，PAI纤维由法国Kermel公司独家生产，产能1200t/a，以耐高温和防火性兼有而闻名全球，我国尚无此类产品的生产。该纤维的主要用途是制作消防战斗服和易燃易爆工厂的工作服，可满足EN ISO 11612和NFPA 2112的要求，并具有穿着舒适性。PBI纤维是1968年由美国Celanese（塞拉尼斯）公司利用Marvel教授发明的专利技术实现中试和产业化的，现产能500t/a，我国尚无此类产品。全球聚丙烯腈基碳纤维主要产能来源于日本东丽株式会社（含卓尔泰克公司）、东邦化学株式会社、三菱集团，美国赫克塞尔公司、氰特公司，德国西格里集团，中国台湾地区的台塑集团，行业集中度极高，主要技术被日本和美国控制，市场被日本、美国、欧盟垄断（约达80%）。在沥青基碳纤维方面，美国氰特公司（收购BP Amoco）、日本三菱集团和石墨纤维公司的沥青基碳纤维技术遥遥领先，形成系列化产品，并占据全球市场主导地位。在陶瓷纤维方面，日本Carbon、Ube、Suitomo以及美国3M、Dow Corning等公司不仅掌握了氧化铝、碳化硅、氮化硼等纤维及前驱体方面的关键技术，而且形成了多品种、系列化的产品，占据了全球80%以上的市场份额，并控制了产品销售区域，对我国实施严格的禁运。

1.2.2.2　制造技术现状分析

特种纤维生产装备是特种纤维生产企业生产力的重要组成部分和基本要素，也是特种纤维产业升级发展的重要保证。随着科学技术的不断进步，以及特种纤维产业的转型升级，特种纤维生产装备制造企业通过不断自主创新和对标国际一流技术，在绿色环保、高性能、差异化纤维制备成套技术和装备的设计、制造、集成水平上进步显著。

近年来，我国特种纤维生产装备制造技术不断更新，尤其是“十三五”期间进步显著。一是在成套技术方面，2000t级碳纤维整线装备和500mm、1000mm宽口高温石墨化炉设计制造技术实现突破；对位芳纶生产突破了千吨级工程化关键技术和装备，我国已建成多条千吨级对位芳纶生产线，2019年我国对位芳纶产量达到2800t；间位芳纶产能超15000t/a，产量达到11000t/a；自主设计并建造了单线6万吨/年Lyocell纤维生产线，关键装备实现国产化。二是在关键技术方面，先进的DCS控制技术、锭轴长1800mm的大容量卷绕头、双排外环吹风装置、MVR低温溶剂蒸发节能回收技术等一大批关键新技术、新装备被应用。三是在智能制造方面，从自动化、数字化向智能化方向发展已经起步，且在共性技术、智能制造车间示范、数字化智能化化纤生产装备等领域取得了一定进展[7]，如化纤生产智能示范工厂和智能车间实现了送配切片、卷绕自动落丝、在线检测、自动包装、智能仓储等全流程自动化生产[8]。

目前，对于高精度高稳定性高速卷绕机开发，东华大学在质量变化非线性动力学理论及其求解方法、结构创新设计方面积累了丰富的研究经验；北京中丽制机工程技术有限公司建有卷绕机仿真平台，成功解决了大容量卷绕机工作过程中的次谐波振动问题，其在卷绕机夹头深孔钻削与磨削等关键工艺方面具有雄厚的研发基础；上海机床厂是中国最大的精密磨床和精密量仪专业制造企业，多种产品在国内居领先水平；中国纺织科学研究院有限公司自主研发的Lyocell纤维成套产业化技术及国产化装备，以及正在开发的功能聚酯纤维制造全流程自动化与信息化技术及关键装备，使化纤生产自动化程度提升到了国内一流水平。这些成果的积累和研究条件为国产化纤生产装备的技术追赶、进一步突破国外技术壁垒奠定了良好的基础。

然而，当前我国特种纤维装备制造水平还处于工业2.0与工业3.0交汇并向工业4.0迈进的阶段，与发达国家相比，高端装备制造水平还有较大提升空间，同时，在智能制造方面，智能检测技术与系统、生产专用制造执行系统（MES）、短流程特种纤维装备、关键基础零部件和关键工艺机器人等与国际领先水平尚有一定差距。随着化纤市场对高品质特种纤维的需求越来越强烈，以及“中国制造2025”和《“十四五”智能制造发展规划》的推进，特种纤维生产装备制造行业将摆脱以往粗放型发展方式，不断加快结构调整和转型升级步伐，紧跟世界先进技术发展潮流，以前沿基础理论与技术研究和优化设计为先导，发展高端特种纤维生产装备和高性价比的实用特种纤维生产装备，研发并产业化短流程装备、智能监测系统、专用机器人等，实现特种纤维生产的高度自动化、数字化和网络化，并向智能化迈进，这对满足市场需求、增强竞争力、提升特种纤维生产装备的国产化率具有重要意义[9]。

国内已突破基本型（T300级）碳纤维的研制、工程化及航空航天应用关键技术，实现了重点型号的自主保障；突破了湿法高强型（T700G级）碳纤维的研制和工程化关键技术，完成了部分装备的应用研究；开展了高强中模型（T800H级）碳纤维的工程化及其应用关键技术攻关，已进入重点型号考核验证和试用阶段；开展了高强高模碳纤维研发，M40级碳纤维已应用于航天领域，M40J级碳纤维进入地面考核验证阶段，突破了十吨级M55J级碳纤维关键技术；基本突破了系列民用干喷湿纺碳纤维产业化技术，正在进行高端碳纤维的攻关、应用研究和民用领域的应用推广；在沥青基碳纤维方面，突破了高纯可纺中间相沥青和连续高导热沥青基碳纤维（P120级）制备关键技术。

在芳纶纤维方面，突破了对位芳纶和杂环芳纶关键技术，建成多套工业化装置。基本型对位芳纶（Kevlar29级）实现稳定批量生产和供应，高强型对位芳纶（Kevlar129级）实现国产化供应，在光缆、胶管、防弹等领域实现批量应用。杂环芳纶产品性能达到俄罗斯Armos纤维同等水平，在固体火箭发动机、高端防弹等领域实现批量应用。UHMWPE纤维实现与国际优势企业比肩，不仅可以部分替代进口，而且具备一定的出口创汇能力，2019年我国UHMWPE纤维产能约为33000t/a，产量为23000t，出口3355t。PI纤维断裂强度达到3.5GPa，模量140GPa，实现了耐高温型、高强高模型PI纤维的商品化。国内科研机构陆续突破连续碳化硅纤维及其复合材料的工程化制备技术，开展了工程应用验证，同时也初步建立了氧化铝纤维、氮化硅纤维、系列陶瓷前驱体等验证试验线。

关于我国特种纤维制造的更多内容可参考文献［10-37］。

1.2.3 微电子化工材料制造的发展现状

1.2.3.1 微电子行业挑战

微电子化工材料产业是我国战略性新兴产业，然而根据工业和信息化部等部门发布的相关资料显示，微电子化工材料是被国外“卡脖子”的重灾区。微电子材料门类广泛，数目繁多，本章节以集成电路材料为例展开介绍。

集成电路材料是指在集成电路器件制备工艺中所需要的材料，是集成电路产业不可或缺的基础。集成电路材料主要包括两类，即制造器件本身所需要的材料和器件制造过程中所消耗的材料。根据在器件制备工艺中的作用和功能的不同，集成电路材料大致可以分为功能材料（基体材料）、微细加工材料、工艺辅助材料和封装材料四大类[38]。

集成电路材料作为集成电路产业链中细分领域最多的一环，贯穿集成电路制造的晶圆制造、前道工艺（芯片制造）和后道工艺（封装）整个过程。集成电路材料产业是整个集成电路产业的先导基础，它融合了当代众多学科的先进成果，对集成电路产业安全可靠发展及持续技术创新起到关键支撑作用[39]。根据SEMI的数据显示，2021年全球集成电路材料市场规模为643亿美元，同比增长15.9%，再创新高[40]，2021年全球半导体市场规模为5559亿美元，同比增长26.23%[41]。2021年，全球643亿美元规模的集成电路材料产业支撑起超过5500亿美元规模的半导体产业的良性发展。

以目前我国集成电路材料产业而言，实力还很弱小，自给率不足20%，自主可控和参与国际竞争的能力还远远不足[42]。如图1-8所示为我国集成电路材料市场需求及产业销售收入对比。

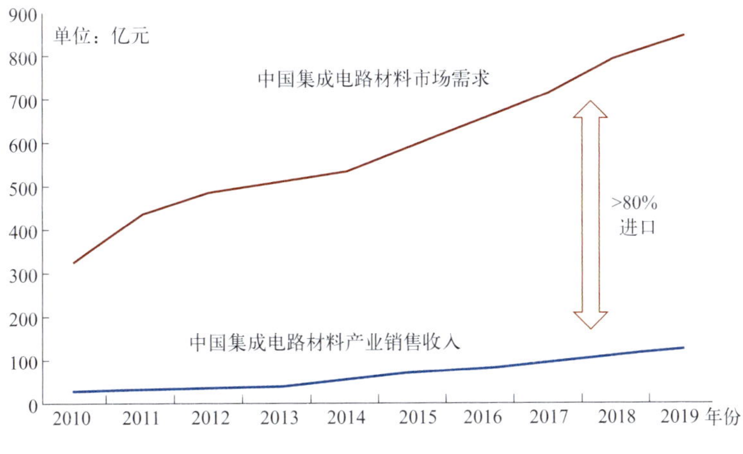

图1-8　2010—2019年我国集成电路材料市场需求及产业销售收入对比

以光刻胶为例，半导体光刻胶自给率低，主要由日资企业满足。面向半导体领域的光刻胶属于光刻胶高端产品，受技术限制，当前，我国半导体领域的光刻胶需求主要由外资企业来满足，2020年，外资企业的市场份额达到71%。从不同光刻胶产品的自给率来看，目前适用于6英寸❶硅片的g线、i线光刻胶的自给率约为20%，适用于8英寸

❶ 1英寸（in）=2.54cm。

硅片的KrF光刻胶的自给率不足5%，而适用于12英寸硅片的ArF光刻胶基本依靠进口，光刻胶国产化任重道远[43]。如图1-9所示为我国半导体光刻胶市场竞争格局与半导体光刻胶自给率。

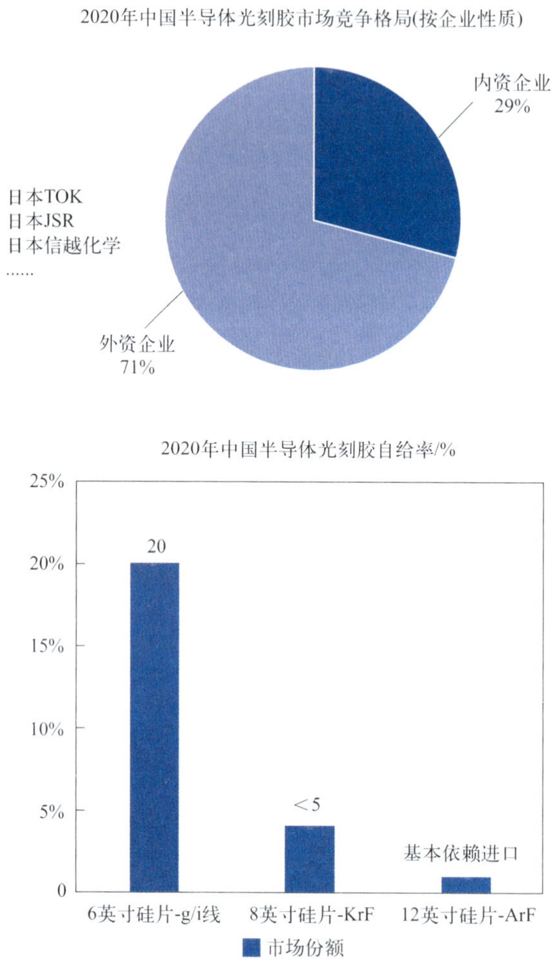

图1-9 中国半导体光刻胶市场竞争格局与半导体光刻胶自给率

集成电路使用的材料种类层出不穷，材料成分也越发复杂，集成电路性能的提升越发依赖材料技术的底层创新。集成电路技术每前进一步都对材料的性能提出新的要求，材料技术的每一次发展也都为集成电路新结构、新器件的开发提供新思路。例如，在0.13μm工艺中，铜互连代替铝引线；应变硅技术的应用将集成电路制造技术由90nm推进到45nm技术节点；超低*K*（介电常数）技术推动45～32nm技术节点的发展；高*K*金属栅成为28nm以下技术节点的必备技术。30年前，集成电路用到的元素仅有氢、硼、氮、氧、铝、硅、磷、氩等12种，目前，元素周期表中超过60种元素被应用或正在被研究应用，相应的材料有近千种。据估算，材料对先进逻辑芯片性能提升的贡献目前已超过六成[39]。

上文仅仅对以集成电路材料为代表的微电子化工材料做了冰山一角的介绍，实际上微电子化工材料制造面临的问题主要集中在以下几点：

① 材料以及化学反应微观机理未明白，仍需大量试验探索和基础研究工作；

② 材料制备以及配套的工艺设备制造是一个巨大的挑战；

③ 材料产业软件领域仍需要基础方法和理论的突破；

④ 材料的智能制造仍然处于初期，大多数企业还未享受到大数据与人工智能带来的红利。

1.2.3.2 制造技术现状分析

目前，微电子化工材料的关键“卡脖子”技术主要集中在光刻胶、大硅片、化学机械研磨（CMP）、封装材料、OLED 显示发光材料等诸多领域。针对上述诸多领域很难全面概括，根据上文所述“卡脖子”技术和关键领域，选择包括光刻胶、大硅片等在内的制造技术进行简要分析。

（1）光刻胶制造技术分析

光刻胶又称光致抗蚀剂，是一种感光材料，其中的感光成分在光的照射下会发生化学变化，从而引起溶解速率的改变。其主要作用是将掩模板上的图形转移到硅片等衬底上。

图 1-10 所示为光刻胶研发及其产业化应用历程。

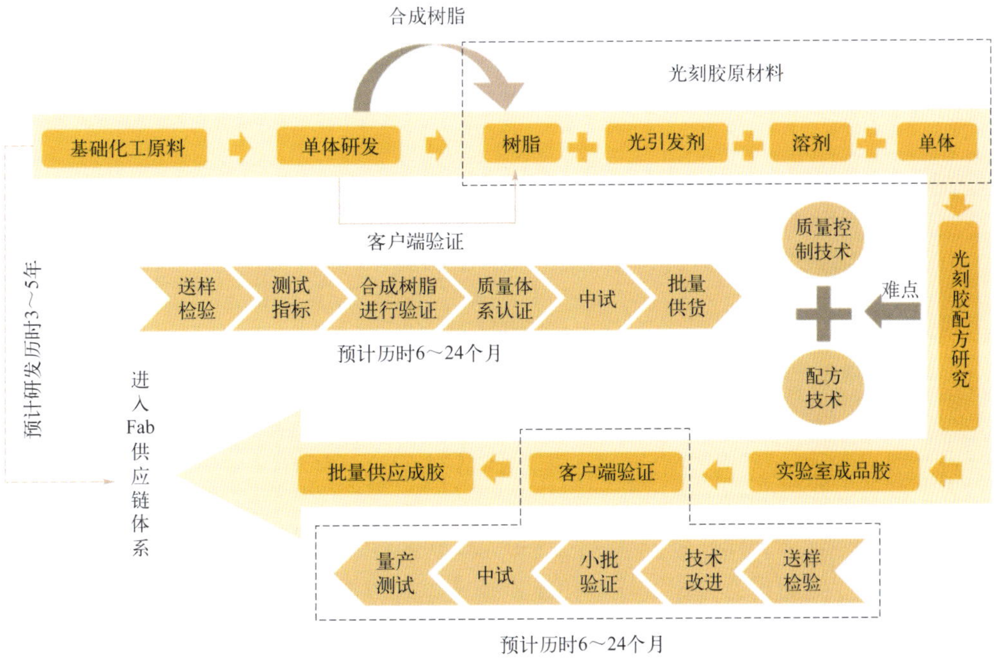

图 1-10 光刻胶研发及其产业化应用历程图

图1-11所示为容大感光招股说明书中的光刻胶生产制造工艺流程图[44]。

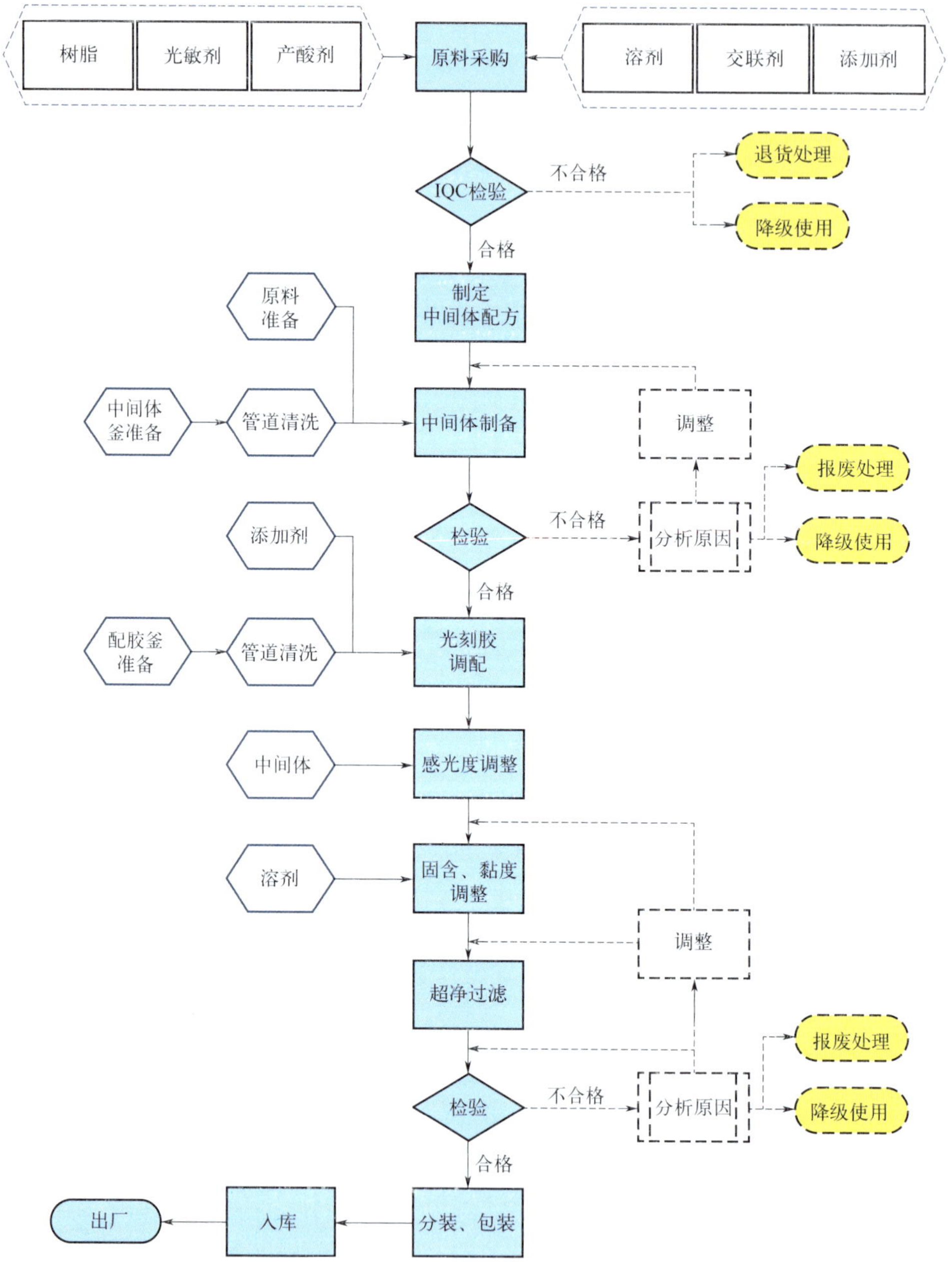

图1-11　光刻胶生产制造工艺流程图

目前来看，光刻胶的研发与制造技术所面临的困境是复杂且全方位的。摆在光刻胶面前第一道绕不过去的坎，就是产品的配套测试需要光刻机。这恰恰也是我国目前遭到限制的领域之一，而且比光刻胶还要严格。无论是国内企业还是阿斯麦（AMSL，荷兰公司，美资控股）方面都做了不小的努力，试图寻求一种方法绕过美国的封锁，但至今收效甚微。

在光刻胶的研发阶段，企业需要利用光刻机来验证产品以及配套化学试剂的性能，其是自主曝光检测必不可少的设备；在量产过程中，产线也需要通过光刻机作为检测设备，实现稳定的品控[45]。

（2）大硅片制造技术分析

半导体硅片行业为技术密集型行业，生产技术涉及热力学、固体物理、半导体物理、化学、计算机仿真/模拟等多门学科知识的综合运用。半导体硅片的生产流程较长，涉及工艺较多。半导体抛光片生产环节包含拉晶、滚圆、切割、研磨、蚀刻、抛光、清晰等工艺；半导体外延片生产过程主要为在抛光片的基础上进行外延生长；SOI硅片主要采用键合或离子注入等方式制作。半导体硅片每一个工艺环节均会影响产成品的质量、性能与可靠性[46]。

图 1-12 所示为半导体抛光片、外延片工艺流程图。

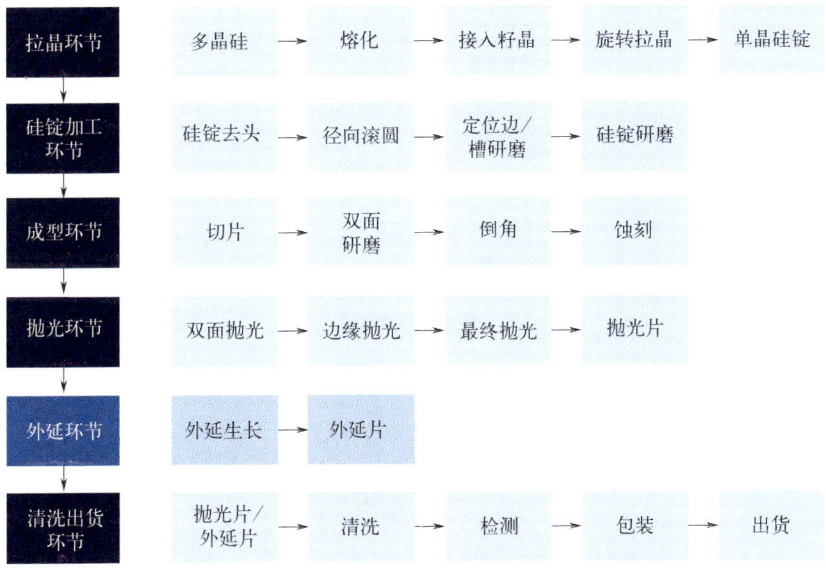

图1-12　半导体抛光片、外延片生产制造工艺流程图

图 1-13 所示为 SOI 硅片工艺流程图。

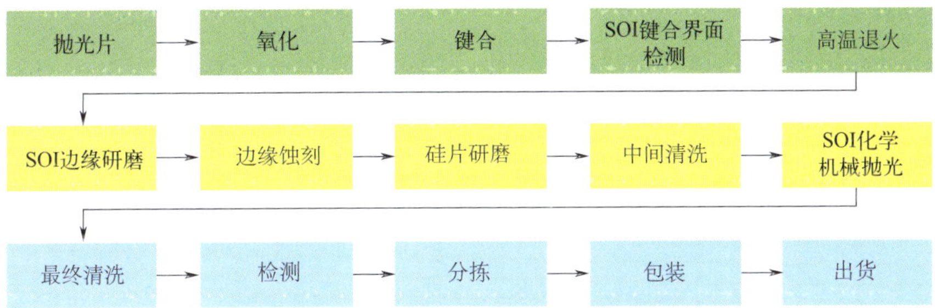

图1-13　SOI 硅片生产制造工艺流程图

结合硅片生长工艺来看，直拉单晶硅工艺仍然是关键技术之一。而在硅片生产行业中，除了直拉单晶硅工艺本身的参数和技术外，其配套的直拉单晶硅炉子也是其核心技术壁垒之一[47]，如图1-14所示。

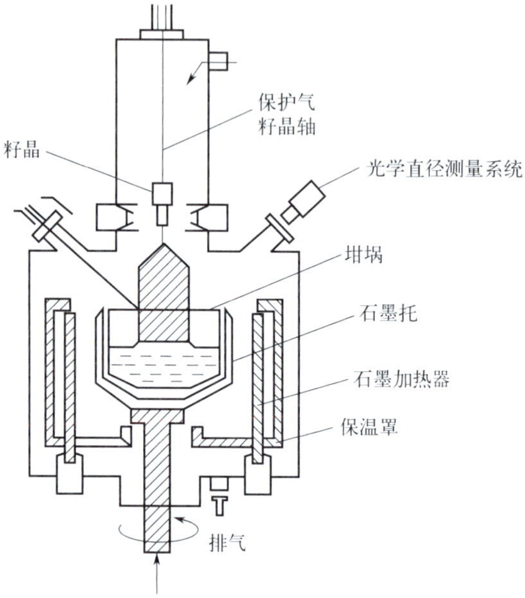

图1-14　直拉单晶硅炉子

综上，微电子化工材料制造技术的现状大致如下：

① 与关键材料配套的装备仍然是核心技术壁垒之一，诸如单晶硅生长的直拉单晶硅炉子、光刻胶研发与生产制造的光刻机系统；

② 目前部分企业已经实现了自动化，但是基于大数据的技术仍然在摸索和尝试中。

1.2.4　纳米化工材料制造的发展现状

1.2.4.1　纳米材料行业挑战

由于纳米材料的基本构成单元的尺度在纳米范围内，使其与宏观材料在力学特性、电学特性、光学特性、热学特性等物理或化学性能上迥然不同。这些特性使纳米材料在当前飞速发展的微电子、储能器件、航天航空、医疗器械、原子能等前沿领域得到广泛应用。由于纳米技术对国家经济、社会发展以及国防安全具有重要意义，世界各国（地区）纷纷将纳米技术作为21世纪技术创新的主要驱动器，相继制定了发展战略和计划，推动本国（地区）纳米技术的发展[48-53]。

Grand View Research的报告显示，2017年全球纳米材料市场规模为4526.9亿元，到2021年全球纳米材料市场规模增长到7515.0亿元，平均年复合增长率为13.51%。2021年全球纳米材料区域市场分布，中国占比18.05%，美国占比27.63%，欧洲占比24.18%。纳米材料作为新材料，随着纳米技术的突破、工业技术的成熟、应用领域的拓展，其潜在市场仍在持续高速扩展。

随着我国政府从20世纪90年代中期开始重视对纳米材料和技术的研发，从事纳米材料生产、开发的公司不断增多，社会资金投入也不断增加。进入21世纪后，我国纳米材料行业进入稳定、健康发展阶段。工业和信息化部数据显示，我国纳米材料市场规模由2014年的481.3亿元增长到2021年的1356.5亿元，2022年国内市场规模可达1795.2亿元（当时预计），同比增速为32.34%，是国际上最有活力的市场。但目前我国纳米材料领域的企业技术水平相对落后，现有企业数目已达700余家，但主要是从事较低端的纳米粉体和初级产品的制备，产品附加值较低。对于较高附加值的高端纳米材料，目前我国距离产业化还有大量的进步空间。2021年我国碳纳米管行业出货量为9.68万吨，石墨烯市场规模为138亿元，此类高端纳米材料我国产业化水平较低，制备技术和发达国家仍有差距，尚不能形成市场竞争优势，仍然需要持续进口。2021年我国高端纳米材料进口量为14.85万吨，出口的低端纳米粉体和初级产品为17.62万吨。对于高端纳米粉体的制备，大部分企业还停留在实验室研发阶段，仅有少数企业实现了产业化生产，纳米生物材料、纳米电子材料及器件、纳米医疗诊断等高端应用领域的材料自给率还很低，此类产品目前多以基础研究为主。

美国作为新材料产业主要的创新主体，拥有绝大部分大型跨国公司，在经济实力、核心技术、研发实力、市场占有率等多方面占据了绝对的优势，在“国家纳米技术计划”（NNI）支持下，一大批新材料企业成为顶尖材料巨头，比如埃克森美孚、陶氏化学、杜邦、3M、康宁等。日本和欧洲紧随其后，分别在纳米电子材料、纳米光电材料上具有明显优点，具有国际竞争力的新材料公司有日本京瓷株式会社、日本三井化学株式会社、德国盈创、德国巴斯夫等。随着发达国家对我国的技术封锁和对我国企业的产品的制裁，我国纳米材料和纳米器件制备和境外供应的难度进一步增大。

1.2.4.2　制造技术现状分析

纳米材料制造技术是一门融合前沿理论探索、高端技术工艺和先进工程制备于一体的科学体系，包括纳米物理学、纳米化学、纳米材料学、纳米生物学等。随着对纳米材料制造技术的研究，人们开辟了认知世界的新层次，使人们改造自然的能力延伸至分子、原子尺度，这标志着人类科学进入到下一个时代。从实现纳米微结构的途径和方法来看，构成纳米材料制造技术体系有两类：一类是通过原子、分子的移动、重组来构建纳米尺度的微结构，即自下而上法（bottom up）；另一类是将大块原材料加工变小，逐步形成所需要的纳米结构或器件，即自上而下法（top down）[54]。所以，纳米材料制造技术描述的是纳米尺度粉体、液体等材料规模化的生产，或者描述的是从纳米尺度按照自下而上或自上而下的方式制造器件，其重点在于低成本可靠地在原子或分子水平上制造功能结构或设备。

目前，我国纳米材料制备技术的主要对象为纳米颗粒（纳米晶、纳米相、纳米非晶等）以及由它们组成的薄膜、块体、复合材料，属于附加值较低的纳米材料。和发达国家相比，我国在纳米丝、纳米管、微孔和介孔材料，以及基于一个或数个原子构筑的三维纳米结构系统的制备上，仍有较大差距。

自下而上纳米材料制备方法有气相法、液相法、放电爆炸法、机械法等。

① 气相法：包含热分解法和真空蒸发法。热分解法是金属基化合物在惰性介质中热解。此方法粒度易控制，适合大规模生产，现在已用于Ni、Fe、W、Mo等金属，颗粒直径为3～10nm。真空蒸发法是金属在真空中加热蒸发后沉积于一转动圆的流动油面上，制备的颗粒平均直径小于10nm。

② 液相法：包含沉积法和溶胶-凝胶法。沉积法中采用各种可溶性的化合物，经混合，反应生成不溶解的氢氧化物、碳酸盐或有机盐等沉积，将过滤后的沉淀物热分解获得超纯的纳米粉体。溶胶-凝胶法是一种成熟的湿化学方法，可以制备直径10～100nm超细的纳米结构以及形貌均匀的多种单一或复合氧化物粉体。

③ 放电爆炸法：是指金属细丝在充满惰性气体的圆筒内瞬间通入大量电流而爆炸的方法，可以制备如Mo等难熔金属的超细颗粒（直径25～300nm）。

④ 机械法：利用单质粉末在搅拌球磨过程中颗粒与颗粒间和颗粒与球体间强烈、频繁的碰撞，可以分离如石墨片、氮化硼等纳米材料。近些年，企业大多采用搅拌研磨法生产，利用搅拌棍和介质间的研磨将材料粉碎，制备纳米粉体的效率比球磨机和振动研磨高。

在自上而下制备纳米材料中，现有的纳米材料的加工方法可分为机械加工、化学腐蚀、能量束加工、复合加工、隧道扫描纤维技术加工（即STM加工）等多种。机械加工有单晶金刚石刀具的超精密切削、金刚石砂轮和CBN砂轮的超精密磨削和镜面磨削、砂带抛光等固定磨料工具加工；能量束加工有电子束加工、离子束加工、激光束加工等，可以对被加工对象进行精细去除、添加和表面改性等；STM加工可以进行原子级的操作，如去除、增添和搬迁等。以下介绍较为先进的能量束加工和STM加工。

① 能量束加工：可以用于打孔、切割、刻蚀、焊接、表面热处理、表面改性等。电子束加工的原理是在真空中将阴极（电子枪）不断发射出来的负电子向正极加速，并

聚焦成极细的、能量密度极高的束流，高速运动的电子撞击到工作表面，动能转化为热能，使材料熔化、汽化并从真空中抽走。控制电子束的强弱和偏转方向，配合工作台 x、y 方向的数控位移，电子束能够聚集到 0.1μm 的加工精度，所以可以通过磁场或电子对电子束的强度、位置、聚焦精度进行控制，自动化地实现精密微细加工。离子束可通过轰击材料逐层去除原子，通过对离子束流密度及离子能量的精确控制，离子刻蚀可以达到 1nm 级的加工精度[55]。目前，苏州原位芯片科技有限公司已使用能量束加工方法在半导体芯片传感器和集成电路上完成二维材料器件的制备，加工线宽为百纳米-微米级，但精密度更高的离子束加工技术由于设备高昂、加工效率较低，在国内的应用范围有限，还停留在企业和高校、研究院的小试阶段。

② STM 加工：扫描隧道显微镜是一种基于量子隧道效应的高分辨率显微镜，同时它还可以进行原子分子的搬迁、去除和添加，实现纳米级甚至原子级的超微细加工。在 STM 加工时，探针针尖与工作表面之间保持 1nm 以下极其微小的距离，施加在针尖和基材间的电压导致很高的场强，产生了隧道电流束。通过改变场强等参数，处于针尖下的样品由于电流束的影响会发生某些化学、物理变化，如相变、化学反应、吸附、化学沉淀和腐蚀等。由于隧道电流束空间通道极其狭小，因此受到影响或发生反应的表面的尺寸通常也在纳米级。在如此小的区域中发生某种反应和变化意味着是纳米级加工、纳米级微结构制造[56]。目前，基于 STM 的技术的探索主要以美国、日本企业为主，应用上以应用于微小粒子及单原子操作、表面直接刻写、光刻、沉积为主。

1.2.5　催化新材料制造的发展现状

1.2.5.1　催化新材料行业挑战

催化是用于促进化学反应的复杂的、多维度的、动态的、多尺度的方法。通过发展高效的催化技术，可以降低目标反应能垒，实现原料的高效、定向转化，提高原料利用效率，降低能耗，减少排放，从而推动实现化学工业的高质量发展。而发展高效催化技术的关键之一是创制催化新材料。面向工业应用的催化新材料开发是一项复杂的、多因素交杂的系统性工程，涵盖结构设计、合成、性能评价筛选、表征、反应机理与动力学研究、稳定性测试，再到催化剂扩试、中试放大，反应器与工艺包设计，工业试验多个阶段。以分子筛为代表的多孔材料是化学工业中广泛应用的非均相催化剂，并且具有出色的吸附和分离性能，将在精细化工、化工过程的绿色化以及碳中和进程中继续发挥关键作用。分子筛的水热合成制造过程包含多个相互关联的条件参数，比如原料来源、摩尔比、反应时间、温度、有机结构导向剂、陈化处理方式等。分子筛的合成制造传统上是通过反复试错的方式逐一探究每个条件参数的影响，费时耗力，周期长，开发一种工业催化剂往往需要10年左右的时间。目前人们对合成条件参数对分子筛成核及结晶过程的影响缺乏认识，远远没有达到定量分析的标准。缩短研发时间、减少研发成本，加速合成具有期望结构与性能的催化新材料是业界追求的目标。为达到此目标，变革传统的研发制造模式，需要解决如下多个挑战。

① 化学空间搜索范围广，在高维空间使用穷举组合法不切实际。

② 实际生产过程中经济和时间上的限制。

③ 实验结果的表征和分析任务繁重，并且与多个实验变量存在非线性关系。

④ 多孔材料复杂的空间结构导致寻找构效关系的描述符难以确定。

⑤ 有机结构导向剂对孔道的形成的定量、定向关系仍不明确，以及绿色经济导向剂的合成具有一定复杂度。

⑥ 计算模拟不一定能正确预测实际实验结果，建立计算预测与实际合成结果之间的反馈关系可能会很困难。

1.2.5.2 制造技术现状分析

针对上述挑战，美国2011年提出了材料基因组计划（MGI），核心思想为先建立组成、工艺、微观结构、性能之间的内在联系，而后根据对材料性能的需求设计符合要求的微观结构，并根据这种联系，设计并优化材料组分与合成工艺；提出了“理性设计-高效实验-大数据技术”深度融合的新型材料研发模式，变革了传统的“试错法”材料研究模式，旨在缩短材料研发周期和减少研发成本。随后，欧盟迅速启动了类似的研究计划（NOMAD，BIGmax，MARVEL等）。在美国材料基因组计划中，包括分子筛、有机金属框架在内的微纳多孔材料被特别指出。我国科技部于2015年启动了“材料基因工程关键技术与支撑平台”重点专项，开展了基础理论方法、关键技术装备、工程化应用示范方面的布局与工作。在广大科技工作者的努力下，我国材料基因工程取得了显著的成就。

高通量实验技术是材料基因工程的重要实现途径之一。高通量实验平台包括高通量制备、高通量表征和高通量评价等单元。从20世纪90年代末起，包括分子筛等多孔催化材料领域在内的众多材料科学领域采用了高通量合成和表征技术手段。与制药行业有所不同，用于分子筛合成的高通量反应器需要重新设计，以满足更苛刻的处理温度（约150～200℃）、压力（约1.5MPa）和酸碱性条件。SINTEF最先报道了用于分子筛水热合成的高通量晶化装置，内衬晶化釜采用聚四氟乙烯材质，每个釜的体积在0.5～1mL之间。瓦伦西亚理工大学Corma课题组自制了高通量机械臂水热合成系统，该系统包含15个可移动的聚四氟乙烯材质的内衬晶化釜，每个釜的体积在1 ～ 2mL，该系统具有自动固体称量、凝胶配比功能。更先进的高通量制备系统还可将晶化釜与密封真空泵腔相连，实现原位过滤凝胶等功能。用于分子筛水热合成的全自动高通量系统，根据客户需求，通常包含固体称量、凝胶配比、晶化、后处理制样等单元，实现了块体/粉末/液体计量、搅拌/混合、研磨、温度/压力/pH控制、分离以及其他功能。高通量全自动分子筛合成设备需要将机器人技术、非标准自动化技术、工控软件和数据库技术等集成，国际上主流设备厂商包括Unchained Labs、Avantium、Chemspeed和Zinsser等。在高通量实验设备领域，具有丰富系统集成制造经验和品牌效应的国内厂商仍待填补。

高通量表征仪器和技术手段的开发，为更好地了解催化材料的结构和物化性质提供了强有力的工具，可以加快研发进度。粉末X射线衍射（PXRD）是常用的晶体微观结构分析技术，而X射线荧光光谱仪（XRF）是常用的元素分析仪器。主流厂商如布鲁克（Bruker）、马尔文帕纳科（Malvern Panalytical）供应的PXRD设备、XRF均具有高通量样品盘和自动送样机构，可在x、y、z方向上进行高精度自动控制。串行电子衍射技术（serial electron diffraction，SerialED）和串行旋转电子衍射技术（SerialRED）可高速收集晶体衍射数据，用于大量晶体样品的定量相分析和结构解析。SerialRED技术可在无人工干预的情况下自动采集三维电子衍射数据。与传统连续旋转电子衍射数据（cRED）方法对比，SerialRED不再需要手工调节偏转器以跟踪旋转过程中的晶体并可进行散焦衍射谱采集。SerialRED具有对使用者的透射电镜专业知识要求低和使用者的劳动强度小等特点，其有望成为晶体高通量筛选和结构分析的重要技术，该技术已成功应用于一系列分子筛和对电子束敏感的MOF样品的结构确定工作中。对多孔材料孔道结构进行表征分析时，气体探测分子的吸附/脱附行为可能持续数小时，高通量并行技术可以提高表征效率，比如Kubanek等结合高通量红外光谱（FTIR）和CO探测分子的吸附/脱附行为，对Pt-ZSM-5催化剂进行平行表征，实现了8倍的并行度，显著减少了收集的样本信息。用于表征催化剂酸性的程序升温脱附（TPD）仪器也可以采用高通量多通道系统实现多催化剂样品的平行表征。

1.3 化工新材料制造发展面临的主要问题

化工新材料产业是我国重要的战略性新兴产业，也是制造强国和国防工业的关键保障。长期以来，新材料产业的创新主体是美国、日本和欧洲等发达国家和地区，中国、韩国等目前属于全球第二梯队。我国新材料产业尽管增速较快，但起步较晚，制造技术的水平距离欧美主流材料制造企业差距较大，上游关键材料、设备发展仍存在诸多“卡脖子”环节，国产替代需求迫切，急需通过智能化数字化技术实现提质增效。我国化工新材料智能制造发展面临的主要问题可以大体概括为以下几个方面。

① 技术更新迭代速度慢：化工新材料品种式样多、更新换代快、新工艺和新技术关系密切，具有“一代工艺，一代材料，一代设备”的产业特点，先进工艺节点更新换代快，导致研发时间紧迫。而我国目前在材料物性数据库、反应过程模拟以及高通量实验平台等方面技术基础薄弱，尚无法支撑制造工艺及设备的快速更新迭代。

② 产品质量优化手段不足：化工新材料制备过程中通常涉及大量多尺度的复杂物理、化学变化，产品性质与工艺过程参数之间的构效关系极其复杂，同时工艺过程参数对新材料性能起着决定性作用。我国在产品质量的在线感知、实时检测，以及求解复杂优化问题的相关技术、软件上的劣势，给过程工艺参数的优化设定带来了技术瓶颈。

③ 核心装备国产化程度低：目前，我国的高端卷绕机、光刻机等材料制造核心装备的自主研发设计能力严重不足，成套设备仍大量依赖进口。关键机械零部件、数字信号处理元件、微控制单元等核心部件长期被国外公司垄断，以及长期靠引进技术的发展思路，导致原始创新能力不足，核心技术发展滞后，受制于人。

此外，基础研发能力薄弱以及相关人才的缺乏也是导致我国化工新材料制造技术发展滞后的重要因素。目前，我国新材料制造技术的研究以高校和科研院所为主，尽管在研究过程中已经引入了一些材料设计以及智能化学习等手段，但普及程度较低；与企业合作较少，很多研究成果不能及时转化为产品，应用和研究相对脱节；新材料研发以试错为主，通过跟踪式的迭代方式开展研究，耗费了大量的时间、人力、物力和财力，没有海量的新材料数据库，某些具体材料的数据库也甚少被其他研究者使用。人才方面，目前我国缺少同时掌握计算科学、信息学、化学与材料学的复合型人才队伍，智能化的技术手段较少应用在材料的设计、制造与应用中，多学科交叉合作及校企联合培养不足，人才队伍的创新能力和合作能力较弱。

1.4 化工新材料制造的总体发展目标

为突破化工新材料发展上的技术瓶颈，国家有关部门陆续出台《关于加快新材料产业创新发展的指导意见》《新材料产业发展指南》等政策文件，强调了在“制造强国”战略下发展新材料智能制造技术的必要性与紧迫性。近年来，人工智能、5G等信息和通信技术的发展也给化工新材料制造带来了新的契机。抓住产业变革的关键时期，利用新一代信息和通信技术赋能新材料制造，在基础理论与关键技术上取得重大突破，促进科技和产业融合，优化产业结构，系统提升新材料领域的创新能力和产品供给能力，增强自主保障能力，是我国化工新材料制造技术发展的核心目标。以数据和信息为基础，借助自动化、传感、5G、高通量平台及软件等技术，发展材料设计、制造、应用上的智能化方法与技术，使材料制造流程更高效、更智能、更具适应性，进而实现提质增效是我国化工新材料智能制造发展的主要目标。

具体来说，化工新材料智能制造的发展目标可分为设计、制造以及应用三个方面。从材料设计的角度，要基于多尺度仿真模拟、高通量实验以及材料物性数据库，厘清材料构效关系，借助智能优化算法，建立面向产品性能的原料配比、反应条件、制造工艺参数等关键变量的反演优化算法，实现材料设计上的智能化；从材料制造的角度，要研发材料合成制备过程中的智能控制等核心装备以及全流程模拟、优化调度、生产状态监测等平台软件，以及多机协同优化调控等基础理论方法与关键技术，确保制造过程的高效稳定进行；从材料应用的角度，要建立材料研发、制造、应用一体化体系，综合考量在实验室中和制造产线上制造的产品的性能偏差、工艺偏差以及质量偏差，建立面向应用端需求的智能设计与制造策略，从源头上提升产品质量。

大数据与人工智能赋能化工新材料制造战略研究

Strategic Study on Big Data and
AI Empowerment for Intelligent Manufacturing for
Advanced Chemical Materials

第2章　大数据与人工智能驱动新材料制造的发展研究

本章聚焦大数据与人工智能（AI）在新材料制造领域的应用基础，衔接第1章化工新材料产业的现状与挑战，从技术发展、产业融合、关键技术三个维度展开分析，为后续 AI 赋能特种功能聚合物、特种纤维等细分领域的智能化转型奠定理论与技术基础。

从技术发展看，AI 研究始于 20 世纪 50 年代“逻辑理论家”程序，后续聊天机器人 Eliza、移动式机器人 Shakey 及 STRIPS 系统奠定基础；近年在深度学习推动下，依托多隐藏层人工神经网络，结合海量数据与 GPU 算力，AI 在计算机视觉等领域突破，部分任务超人类水平，已应用于医疗、金融等领域。产业融合层面，AI 与制造业融合是实体经济发展和制造业转型关键，发达国家积极部署，已覆盖研发设计、生产制造、管理三大方向；我国有融合基础，但面临数据开发难（需建行业数据库）、缺通用方案（需行业学术交流）、人才短缺（需高校设智能制造课程）三大挑战。关键技术上，四大共性技术支撑新材料制造：材料基因组整合数据加速材料商业化；高通量技术“模拟 – 实验”互补提效；数字孪生破生产“黑箱”助精准决策；贝叶斯优化、遗传算法等智能算法降试错成本、提质增效。

本章系统构建了AI赋能化工新材料制造的技术与产业认知框架，为后续细分领域的智能化路径规划提供关键支撑。

2.1 人工智能技术的总体发展情况

人工智能（AI）是几十年来发展最迅速的领域之一，其进步和应用已经深刻改变了生活的多个方面。AI的研究和发展历史丰富多彩，可追溯到20世纪50年代，当时的研究人员首次探索构建能够执行需要人类智能的任务的机器。这一时期的一个重要里程碑是在1956年，纽厄尔和西蒙开发出了“逻辑理论家”程序。该程序能够证明《数学原理》中的前52个定理中的38个，其中一些证明甚至比原著更具创新性和优雅性。这一成果后来被称为“强人工智能”，表明机器可以像人类一样具有思维。此后，人工智能经历了几个黄金期和艰难期的发展，从早期基于规则的系统逐渐过渡到了现在的深度学习和机器学习系统。

AI发展早期的里程碑之一是专家系统的建立，其目的是执行通常需要人类专业知识的任务。这些系统依靠一套规则和知识库来做出决策，主要应用于医学、金融和工程等领域。例如，1966年魏泽堡研制出了世界上第一个聊天机器人Eliza。20世纪70年代初，美国斯坦福国际研究所研制出了移动式机器人Shakey，并为控制机器人开发了STRIPS系统。这项研究引发了大量研究人员开发训练机器学习算法的方法，包括决策树和神经网络，为更复杂的人工智能系统的出现铺平了道路。

近年来，人工智能的发展主要受到深度学习快速发展的推动。深度学习是机器学习的一个子领域，其研究基于人工神经网络。深度学习通过多层感知器等含有的多个隐藏层的人工神经网络来获取不同的特征，并将这些特征组合成更抽象的高层表示，以发现数据的分布式特征表示。典型的深度学习模型包括卷积神经网络、贝叶斯概率生成模型和堆栈自编码网络模型等。深度学习使得机器能够像人类一样具有分析学习能力，可以识别文字、图像和声音等数据。深度学习算法已经在计算机视觉、自然语言处理和语音识别等领域取得了显著成果。这些模型在图像分类和语音识别等任务中的表现甚至超过了人类，因此在工业界和学术界得到了广泛应用。深度学习的成功得益于大量数据的可用性和计算能力的提升。云计算和图形处理器（GPU）的普及使得训练庞大而复杂的深度学习模型成为可能，推动了该领域的重大进步。

目前，人工智能已经在医疗、金融、零售和交通等各个领域得到广泛应用。由AI驱动的系统被用于改善决策、实现任务自动化、创造新的产品和服务。在医疗保健领域，AI被用于分析医疗图像和预测疾病风险，以改善患者的治疗效果；在金融领域，AI被用于欺诈检测和减少风险损失；在零售业，AI被用于个性化客户体验和改善产品推荐；在交通运输领域，AI 被用于提高车辆的安全性和减少交通拥堵。

2.2　人工智能与制造业融合的态势

AI 与制造业的融合并应用是推动实体经济发展的重点方向，也是制造业数字化、网络化及智能化转型发展的关键领域。发达国家的政府和产业界均高度重视这一发展趋势，纷纷采取行动推动基础建设和产业实践的部署，在 AI 的驱动下，传统制造业的生产模式正在发生转变。

目前，AI 与制造业的融合已具备一定基础，主要包括研发设计、生产制造和管理活动三大方向。研发设计方面，美国欧特克推出的产品创新软件平台 Fusion360 和打印软件 Netfabb 集成了人工智能和机器学习模块，能够了解设计师的需求，掌握产品的不同生产要素，设计师只需要设定少量约束条件就可以由系统自主设计；生产制造方面，日本 NEC 推出的机器视觉检测系统，可以对生产线上的产品逐个检测，快速筛选不合格产品，从而降低人工成本，提高出厂产品的合格率；管理活动方面，美国亚马逊基于机器学习模型，对用户的购买习惯和产品属性进行深入学习，形成全面的知识图谱，这项技术的应用使亚马逊的利润增加了 10% ～ 30%。目前，AI 在制造业领域渗透的广度和深度都在快速扩大，总体呈现出多领域融合、多行业合作的发展趋势。

AI 是新一轮科技革命和产业变革的重要推动力量。AI 技术的快速发展，为分子材料研究和智能制造带来了前所未有的机遇，对于推动化工、新材料等相关产业的发展具有重要意义。在化工领域，对化合物性质的评估（分子诊断）已经进入通量筛选阶段，但是化学合成这一领域仍处于手工阶段。研究人员需要投入大量的时间和精力来筛选正确的合成路径，且人工合成产品收率低，试错成本高，导致化学合成技术在药物和材料领域缺乏商业应用价值。因此，AI 在化学合成中引入具有重要意义，通过 AI 的逆合成分析、机器学习及神经网络等技术对化学合成路径进行预测和通量筛选，可以快速找到最具潜力的合成路径。

国家工业信息安全发展研究中心表示，目前我国 AI 技术与制造业的融合具有广泛的基础，智能制造是“中国制造 2025”的主攻方向，AI 是引领新一轮科技革命和产业转型的战略性技术。AI 与制造业的深度融合，推动了智能制造概念的落地，也证明了制造业是智能技术普及商用的重要场景，未来应鼓励和支持在企业层面建立

AI和智能制造创新中心，重点研究和推广AI在制造业应用上的共性技术，加快AI与制造业的融合。

在全球AI发展的浪潮中，我国在AI领域取得了举世瞩目的成就，但在制造业领域却面临着AI与制造业融合不足的挑战。目前，我国AI与制造业的深度融合主要面临以下三个问题。

① 制造业数据开发和利用困难。AI与制造业的深度融合需要大数据的支撑，但是制造业数据的可用性和通用性较弱，同时还需要投入巨大的资金和人力进行投资和维护。对于此问题，可建立系统的制造业行业数据库，加强制造领域的数据采集与集成。

② 缺乏通用的和整体的解决方案。AI必须根据制造业的具体场景进行定制，不同制造行业在技术和工艺上存在巨大差异。面对这些可变因素，可以在不同制造行业围绕AI与制造业深度融合展开学术交流。

③ 复合型人才严重短缺。制造业的相关人员对AI概念和技术的理解并不准确。对此，加强相关领域的人才培养至关重要，可以在高校教育中增加智能制造相关课程，形成适应AI时代技术人才需求的教学体系。

2.3 智能制造共性关键技术

2.3.1 材料基因组

材料基因组是材料科学和工程领域中的一种研发方法，旨在彻底改变新材料发现、开发和表征方式。它是一个数字平台，存储和分析有关材料及其特性的大量数据和知识，数据信息涵盖了材料的整个生命周期。在基于计算机技术对数据库信息进行计算分析的基础上，通过收集并整合数据，可以在几秒钟内提供关于某新材料的大量详细信息，如发现某新材料需要多长时间，以及这种材料是否有商业价值等。材料基因组计划的目标是通过计算机辅助，加速发现和开发具有改进性能的各种新材料，大大缩短新材料从发现到最终商业化应用所需要的时间。

传统材料的发现和开发经常是缓慢的、昂贵的，并且依赖于试验和错误。新技术的发展往往对材料的要求很高，理论上，技术的发展是超前的，而材料科学的发展则相对滞后。材料数据库随着材料技术的发展和性能的提高不断发展和更新。材料的研发和应用基本都是基于目前已知或使用的材料知识，因此建立已知或已应用材料的数据库是非常必要的。这也是材料基因组计划产生的动机，材料基因组旨在通过使用先进的计算工具和数据分析来简化新材料的发现、设计和优化，从而加快这一过程。

2011 年，美国政府推出材料基因组计划（MGI）这一国家计划。MGI 是一个综合计划，旨在通过利用材料科学、计算机科学和制造业的进步，加速新材料的发现、开发和商业化。过去十年中，美国国家航空航天局（NASA）等机构均参与“先进材料计划”项目，旨在加快开发新一代先进材料并在工业领域广泛应用，其目标是开发出新型高性能材料来满足现代工业发展对新产品和新技术不断增长的需求。

材料基因组是一个多学科交叉的领域，涉及材料科学、物理学、化学、计算机科学和数据科学等。它利用先进的计算工具和算法、模拟方法和数据分析方法来分析关于材料特性和性能的大量数据。材料基因组数据库包括材料各方面的信息，如化学成分、结构、热和电性能、机械行为和特定应用中的性能。不同学科的研究人员使用同样的数据库来处理和存储这些信息，这种数据库被称为材料基因组数据集，其为一个数据集合而不是一个完整的数据库。它包含了一系列用于研究材料中各参数之间相互作用机理和参数与性能之间关系的数值模拟数据，这些数据来自模拟器、数据库、实验室和真实环境中使用过的模型和做过的相关实验，被用于评估材料中可能会发生的各种行为。这些参数可以通过人工编写程序来产生、验证或修改，而不是直接从原始文献中获得，这样使它们更具实用价值。

材料基因组是发现和开发具有改进性能的各种新材料的关键一环。它代来了材料科学和工程发展的新时代，新材料的发现和设计由数据和先进的计算工具来驱动。该方法旨在推动先进材料领域的研究，促进创新药物、纳米技术和新能源等前沿科技发展，最终目标是解决人类共同面临的诸多问题。

2.3.2　高通量实验与模拟技术

高通量实验与模拟技术是指能够大规模和快速收集数据或构建计算模型的方法。这类技术旨在快速测试和评估大量条件或情景，以便从中快速识别趋势、模式，洞察关键信息。此技术被广泛应用于各个领域，例如拆分池组合方法，就是其在实际应用中的一种体现。同时，该技术还可以用来串联筛选多个反应条件，以加快所需工艺路线的优化进程。高通量模拟具有帮助研究人员进行快速评估的能力，能够预测新材料的使用性能，例如导电性、热导率、光学性质等。通过模拟，研究人员可以快速识别性能最优的材料，从而减少对实验的需求。高通量实验则是研究和验证新材料性质和行为的基础。通过实验能够验证模拟结果的准确性，从而为材料的实际应用提供依据。因此，高通量模拟和实验技术相互补充，在新材料研究和开发中发挥着重要作用。

高通量实验是可以并行多个化学反应的实验，在化学领域中属于组合化学。高通量实验是一个不断增长和发展的领域，其允许研究人员每天以相对有限的资源进行几十到几千个实验；通过小型化的、典型的、高度自动化的数字数据工具的使用，从大量的样品或条件中自动或半自动地收集数据。这通常是通过专门的设备完成的，如微流控设备或高通量筛选平台。研究人员可以在这样的工作流程中一次进行多个平行反应或实验。高通量实验还需要与之匹配的快速分析技术。随着实验速率大幅提升，该技术能够产生非常重要的分析数据，这些数据可以用于确定趋势、发现模式以及揭示相关性。高通量实验目前是药物发现和材料研发等领域重要的研究工具。

另外，通过高通量仿真所获得的海量数据具有“高维输入–低维输出”的特点，因此随着计算机能力、理论建模和模拟方法的进步，可以使用高通量模拟来快速搜索、发现或优化材料的性能。在实际实验之前，可以利用高通量模拟快速搜索大量存在或不存在的、所有可能的化合物，根据具体性能进行优化。高通量模拟涉及使用计算模型在相对较短的时间内模拟大量的情景或条件，这是通过使用先进的算法、并行处理和分布式计算来完成的，然后对模拟产生的数据进行分析，以确定趋势、模式，洞察关键信息。将高通量技术与机器学习技术相结合，利用高通量技术参数的标准化和大批量化，可解决机器学习技术的前端问题，结合互补优势，扬长避短。高通量模拟已成功应用于锂离子电池材料的设计和发现。基于高通量第一性原理，可以计算数千种锂离子电池材料的性能，从而筛选出具有所需性能的合理材料。

高通量实验和模拟技术有许多好处，包括提高效率、降低成本和提高准确性，它们使企业能够快速测试和评估大量的情景，从而改善决策和加快创新。尽管该技术可以应用于新材料的发现和开发，但任何高通量实验活动的成功都依赖于高通量反应的设置和分析之间的相互作用。测试手段的高通量是此技术的关键，高通量测试的特点是快速高效，有别于传统的测试方法。

2.3.3 数字孪生技术

数字孪生（digital twin）是一种实现物理系统向信息空间数字化模型映射的关键技术，它通过充分利用布置在系统各部分的传感器，对物理实体进行数据分析与建模，形成多学科、多物理量、多时间尺度、多概率的仿真过程，将物理系统在不同真实场景中的全生命周期过程反映出来。数字孪生在发展过程中，随着人们对其认知的深化，主要经历了三个发展阶段。

① 数字样机阶段。数字样机是数字孪生的最初形态，是对机械产品整机或者具有独立功能的子系统的数字化描述。

② 狭义数字孪生阶段。由Grieves教授提出，其定义的对象是产品及产品全生命周期的数字化表征。

③ 广义数字孪生阶段。在定义对象方面，广义数字孪生将涉及范围进行了大规模延伸，从产品扩展到产品之外的更广泛的领域。

材料工业作为流程制造业的重要领域，面临着提高产品质量与生产效率的重大需求与节省资源、降低成本、友好环境等诸多挑战。数字孪生技术的引入，可以有效解决材料生产过程中的种种问题。由于化工新材料制造为大型复杂流程，全流程各工序均为“黑箱”，除了有限的表观参数之外，新材料生产诸多环节的内部运行状况无法直接观测，现场制造过程的数学模型大多为机制模型，由于环境状况和操作条件波动，以及设备运行状态变化，加之过程输入条件、状态变量和控制系统之间的关系十分复杂，普通机制模型难以适用于复杂动态过程，预测精度不高，因此，实现全局一体化的精准智能决策难度很大。

面对生产过程中“黑箱”模型的不确定性，若能够以足够的精度给出描述材料成分、生产工艺与产品组织、性能、外形尺寸、表面质量、状态量等控制目标量之间的关系，就能有效破解“黑箱”模型，为材料制备、加工过程的可靠、精确控制打下基础。通过数字孪生构建描述操作量（工艺）、材料成分设计与控制目标（材料的组织与性能，及一些用数字化数据表达的状态量等）之间关系的一套高保真预测模型，可以用于预测在既定工艺和成分设计条件下，控制目标的高保真虚拟映像，从而实现过程的透明化和模型化描述，帮助控制功能实施、新产品开发。还可以通过数字孪生在虚拟的三维数字空间对产线提出改进方案、修改产品工艺参数和改变工序间的协调关系，并将修改结果在数字空间中的虚拟产线上实施，通过模型计算获得优化的策略，再通过指令反馈到物理空间的实体上执行控制。此外，还可以通过其采集现场仪表、设备、工艺等数据，基于数据驱动算法推测出一些原本无法直接测量的指标，实现对已发生问题的诊断、对当前状态的评估以及对未来趋势的预测，并给出分析的结果，提供更全面的决策支持。

作为第四次工业革命先导技术的数据科学和新一代信息和通信技术，给化工新材料行业带来了新的理念，展现出未来材料科技智能化、数字化转型发展的美好前景。

2.3.4 工艺参数优化技术

高性能新材料产品迭代速度加快、产业规模和需求不断扩大，对制造企业提高生产制造过程控制水平、保证产品质量等方面提出了更高要求。基于人工智能的制造过程关键决策变量优化技术已经成为全球信息科技领域的热点，以贝叶斯优化、遗传算法、强化学习为代表的智能优化技术在数值分析方面的显著优势已经被证明在生产制造过程关键决策变量优化上是有效的。

贝叶斯优化（BO）由Snoek提出，是一种黑盒优化算法，用于求解表达式未知函数的极值问题。BO框架有以下两个核心部分。

① 概率代理模型：用于代理原始评估代价高昂的复杂目标函数，从假设先验开始，通过迭代地增加信息量、修正先验，得到更加准确的代理模型。

② 采集函数：利用代理模型的后验信息构造主动选择策略，用于衡量每一个点值得探索的程度，求解采集函数的极值从而确定下一个采样点。

BO现在常被用于解决具有多峰、非凸、高维、决策空间大、黑箱、评估代价高昂等特征的复杂优化问题。在过去的几年里，BO算法在复杂工业过程参数优化方面得到了快速发展。

遗传算法（GA）由John H. Holland提出，其思想来源于生物遗传和进化过程，是通过模拟自然选择和遗传机制提出一种计算模型，利用类似生物遗传和进化过程在全局搜索非线性问题的最优解，其编码技术和遗传操作比较简单，优化不受限制条件的限制，是一种基于种群的随机搜索算法，具有隐含并行性和全局解空间搜索两个显著特点。为了加快收敛速度，提高收敛精度，研究人员提出了自适应遗传算法，即在整个优化过程中利用个体的适应度值自适应地调整交叉和变异的概率。现在其常被用于具有复杂非线性优化需求的领域，比如超参数优化、系统辨识、多目标优化以及机器学习等领域。

强化学习（RL）由Minsky提出，是一类特殊的机器学习算法，借鉴了行为主义心理学。算法要解决的问题是智能体（agent，即运行强化学习算法的实体）在环境中怎样执行动作以获得最大的累计奖励。在给定情境中，得到奖励的行为会被“强化”，而受到惩罚的行为会被“弱化”。这样一种生物智能模式使得智能体可以从不同行为获得的奖励或惩罚中学会在该情境中选择训练者最期望的行为。RL常被用于无人驾驶、机器人控制、工业自动化等领域的决策控制。

智能优化技术针对不同的应用场景能够采取相应的策略寻求最优解。智能优化技术与生产制造过程的结合，避免了大量的试错成本，能够显著提高产品质量和生产效率。

随着智能制造领域的不断深入发展，未来的趋势是将多种智能优化技术相结合，建立混合优化框架，将智能优化深入发展从制造过程扩展应用于产品全生命周期，并在产品质量调控领域发挥更大的优势。

大数据与人工智能赋能化工新材料制造战略研究

Strategic Study on Big Data and
AI Empowerment for Intelligent Manufacturing for
Advanced Chemical Materials

第3章　人工智能驱动特种功能聚合物材料制造的发展战略

作为航空航天、高端装备等国家战略性产业的关键基础材料，特种功能聚合物材料的性能直接关乎装备的轻量化、高性能化及长寿命化。然而，其制造过程面临严峻挑战：生产工艺以间歇法为主，条件苛刻、成本高，对配方与过程控制精度要求极严；技术瓶颈集中体现为底层感知能力弱（如分子量分布、微观结构在线检测难）、多源异构数据解析困难、核心工业软件与智能装备依赖进口、信息孤岛林立及复合型人才匮乏，导致高端产品稳定性不足、研发周期长、国际竞争力受限。

大数据与人工智能（AI）技术为突破上述瓶颈提供了革命性机遇。本章系统探讨“AI赋能特种功能聚合物材料制造”的路径。书中将分析全球智能制造发展态势与典型案例，精准识别行业核心需求与技术短板；据此确立发展目标，提出以“突破关键技术、构建自主体系、推动产业升级”为核心的发展思路与重点任务；深入剖析亟待攻克的基础理论与技术瓶颈，并规划分阶段发展策略与路线图，为我国该领域的智能化转型提供清晰的战略指引。

3.1 典型案例与需求分析

3.1.1 特种功能聚合物材料智能制造发展态势

目前全球范围内，不少公司都成功地将机器学习（ML）或人工智能（AI）用作其数字化转型计划的组成部分。在材料科学和化学领域，人工智能应用的开发始于几年前，丰田和康宁等公司建立了内部人工智能中心，巴斯夫、松下和Lanxess等企业均与相关的供应商或者机构合作了数据驱动的研发项目。这些公司发现，当将AI应用于新产品开发时，可以提供正向投资回报，它们现在正从一次性项目转变为部署企业范围的AI基础架构。这一转变使整个组织具有更大的自治权和可扩展性。

目前，大数据与人工智能技术驱动新材料制造已经在全球范围内展开，涉及的领域包括半导体、锂离子电池、合金等诸多领域。比如英特尔和三星采用高通量技术进行相变存储器材料的开发；宁德时代通过AI技术进行新能源汽车电池材料的研究；贵研铂业采用材料基因组技术进行稀贵金属材料的研究与制造；中国钢研集团则基于材料基因组和多尺度仿真以及大数据技术构建了CISRI-DLab材料开发平台。

目前，工业4.0在全球范围内得到了广泛推进，新材料的商业化制造模式与流程也正向自适应性数字化转型的方向发展。德国、英国、澳大利亚和荷兰等国家的众多机构与公司纷纷开展了相关的技术开发与验证工作，发掘了基于数字化手段的新材料4.0制造模式，充分体现了先进传感器与数字技术的效率，实现了新材料结构的高效制造。新材料4.0的目标是以数据和情报为基础的生产，通过使用自动化、传感器、5G、软件以及其他不断发展的数字技术，使新材料制造流程更高效、更智能、更具适应性，这一模式的最大优势是能够带来生产速度和效率的提升，同时还会带来额外的成本节省和质量提升。德国航空航天中心轻量化生产技术中心（ZLP）开发了结合人工智能（AI）的树脂基碳纤维复合材料结构自动化生产工作单元。欧盟委员会在“地平线2020”科研框架计划的“零缺陷制造”项目群中资助了ZAero项目，用于航空工业中复合材料零件的零缺陷制造研究，提高了机翼皮等大型碳纤维增强复合材料结构的生产效率。从发展态势来看，研究院所和相关行业的企业已普遍承认并接受大数据和人工智能技术在特种聚合物材料设计与制备中的应用价值。但是，鉴于开展相关工作所涉及的专业领域广，团队合作度要求高，要求产学研结合，因此对牵头单位的领导力和统筹力提出了很高的要求。

尽管特种功能聚合物材料的生产工艺普遍为间歇法，但由于其聚合单体普遍昂贵、聚合条件普遍苛刻，因此对配方设计、过程控制、设备监控、材料结构性能分析等有极高的要求。然而目前行业在生产过程的底层感知、全流程控制和优化以及顶层智能设计与智慧决策方面存在明显不足。与特种功能聚合物材料行业领先的欧、美、日的大型跨国化工公司相比，国内特种功能聚合物材料制造企业大多规模不大，尚处于数字化转型的初级阶段，在数字化运行体系建设与管理能力以及生态圈发展上尚属于“滞后者”，企业自动化程度低、数字化水平落后，在大数据与人工智能技术方面几乎空白，仅有烟台万华、金发科技等少数企业在跟随着数字化潮流，成功将数字化技术应用于少数产品的生产过程与企业运营管理中，但数字化程度有限且零散，数据分析力度不足，对数字化转型的组织支持有限，也缺乏聚合物材料与数字化方面的复合型人才，功能材料基因组、聚合物智能设计制造、高通量筛选、智能加工装备等均未有相应应用。与国际相比，在整体层面上我国仍存在着差距。在特种功能聚合物材料领域，大数据与人工智能等现代信息技术的现状具体表现为以下几方面。

① 关键原料/关键聚合物产品的组成、质量的实时检测与智能感知不足，数据量少。基于大数据与人工智能技术驱动的材料制造技术依赖于高质量的“大数据”，在特种功能聚合物材料的生产过程中，大部分过程条件苛刻，且聚合过程涉及分子链结构和聚集态演变双重复杂性，聚合物系组成和质量的智能感知与实时检测技术和装备不足，获取相关数据的困难大、成本高，因此数据量非常少，无法全面支持产品质量的精准识别与细分化要求，严重影响实时智能优化控制。

② 数据源多，数据格式繁杂，多维异构信息解析困难。特种功能聚合物材料的生产过程涵盖化学、材料、机械、自动化、仪表、安全等多个学科领域；工艺尺度涵盖设备、单元、装置直至厂区；时间尺度从快速反应的秒级到大型装置开停车的周、月级。因此，特种功能聚合物材料生产过程数据源多，涉及了工艺图纸、装备特性、控制仪表、过程监控、产品分析等海量多维异构信息和数据及其演变机理、过程建模。揭示跨领域海量信息的关联关系，建立统一高效的多维异构信息解析机制、追踪溯源方法和耦合模型，是实现特种功能聚合物材料高效、智能、安全生产和管理的前提。

③ 数据判定和智能预测任务复杂。对材料数据的判断通常需要结合大量的专业背景知识，这往往涉及大量的交叉学科。与此同时，还有一些无效数据需要剔除。因此，在进行机器学习时，需要为数据增加判定规则，才能高效地筛选数据，并进行有效学习。此外，材料领域的预测任务极其复杂，比如通过输入材料的分子结构预测其力、热、光、电、磁等多种性质。这些性质的预测涉及材料元素组成、晶体结构、微观成分等多种输入变量，其间充斥着大量的非线性关系。特种功能聚合物材料通常存在分子量分布，这为人工智能算法带来了巨大的挑战，因为其无法被精确表征。与此同时，材料

内部存在的缺陷以及生产过程中的残留物也会对数据产生影响，从而导致预测任务的复杂度与难度都大大提升。

④ 企业基础自动化设备/软件有待完善，关键技术、核心装备与工业软件自主可控相对不足。工业自动化涵盖工业控制、工业网络、工业传感器等多个行业，它们主要提供控制、传输、感知等类别的产品与解决方案，支持实现运营技术（OT）层面的智能制造能力。我国已部分实现国产化产品替代，但关键市场与技术的把控力仍然不强，核心产品与标准仍由国外企业主导。在工业控制方面，德国企业在大中型可编程逻辑控制器（PLC）方面具有优势，全球市场份额为31%。国内企业主要在小型PLC方面占有部分市场份额。国外企业依然保持着微控制单元（MCU）、数字信号处理（DSP）、现场可编程逻辑门阵列（FPGA）等核心元器件技术的垄断地位。在工业网络方面，国外企业掌控了主要市场以及网络核心标准。我国企业多处于产业边缘环节，格局基本固化，短期难有改变。在工业传感器方面，美国、日本、德国获得的全球市场份额约为60%。国内企业虽然成长迅速，但仅占全球市场份额的10%。国外大型企业几乎垄断了以敏感芯片为代表的核心元器件关键技术，牢牢占据市场主导地位。此外，由于特种功能聚合物材料的生产过程多属于间歇过程，并且牌号众多，一种原料的变化就会对整个体系造成无法预测的影响，因此，在该领域，AI技术的拓展性较差，难以进行大规模复制和推广，往往具有针对性，从而造成了在软件上的大量投资。

⑤ 信息孤岛现象众多，多层次、全流程缺乏有效的协同。顶层生产计划（Aspen PIMS）、中层资源调度（Aspen Origin）和底层装置操作（Aspen相关软件及KBC相关技术）三个层级的工作共同决定聚合物制造全生命周期的多时空尺度的优化。目前，三个层级的工作存在数据散断，层级间严重缺乏有效的协同机制等问题，普遍呈现孤岛式优化形态，缺乏全流程、全生命周期的智能优化制造技术，导致计划偏离实际，调度与计划脱节和实际生产难以考虑多装置协同等，数据缺乏横向与纵向整合贯通；装置现场生产、安全、环保、质量等泛在感知能力和协同管控能力仍需加强；工控网网络边界的安全保护措施仍不够等。

⑥ 智能工厂运维能力不足。随着特种功能聚合物制造数字化和智能化的不断发展，运行维护工作的重要性凸显出来，但行业内聚合物制造和人工智能两栖人才严重不足，技术人员在智能化装备管理与智能软件平台的深度开发上能力不足，运行维护的机制有待进一步健全。

随着工业化和信息化的深度融合，要进一步推动互联网、大数据、人工智能等现代信息和通信技术在聚合物材料行业中的应用，加快新材料行业关键技术和装备的国产化、数字化及智能化发展，应用大数据、云计算、物联网等新技术推动新材料产业生产、管理和营销模式的变革，全力推进我国高端材料产业的智能制造转型升级。当下，随着多学科交叉融合和信息技术快速发展，将大数据与人工智能技术应用到特种聚合物材料领域的趋势体现为：注重高质量的大数据样本集的构建；将大数据技术、AI技术与多尺度仿真技术融合在一起发展；将高通量实验技术与大数据技术和多尺度仿真技术融合发展；将大数据技术贯穿到整个材料的全生命周期中；注重产学研结合，充分发挥大数据技术和人工智能技术在特种功能聚烯烃材料设计与制造中的应用价值。

3.1.2　典型案例

3.1.2.1　万华化学集团股份有限公司——国内企业数字化转型的典型样本

万华化学集团股份有限公司（简称万华化学）是一家全球化运营的化工新材料公司，位列世界化工企业50强，也是全球第一大MDI供应商。万华化学坚持以科技创新为第一核心竞争力，每年投入数十亿元资金进行科技研发，持续高强度的研发投入已成为万华化学经营业绩快速稳步增长的源动力。万华化学秉承的科技创新理念，高效推动了产业多元化、规模集群化发展，产品已从单一的MDI，扩展至聚氨酯、石化、精细化学品、新兴材料四大产业领域。目前，万华化学有10多个产品跻身世界化工新材料“第一方阵”，多款产品市场占有率全球领先。

化工企业数字化不是一蹴而就的，从大的层面说，它包括营销数字化、管理数字化、生产数字化，涉及企业生产经营的方方面面。万华化学的数字化转型之路就很有代表性。作为全球最大MDI供应商，万华化学一直在持续不断地推进企业自动化、数字化升级。万华化学先后搭建了MES、ERP、BW、OA等一系列信息化系统。2008年，SAP ERP系统的全面上线，标志着万华化学正式进入信息化时代，并就此拉开了信息化建设的序幕。经过10年深耕细作，万华化学建成了以MES为核心的生产运营管理平台、以ERP为核心的经营管理平台、以BW为核心的商务智能平台和以OA为核心的协同办公平台，有效支撑了公司高速发展，助推了企业管理模式落地，并为数字化转型打下了坚实的基础。近年来，万华化学再次引领化工企业工业4.0转型，积极利用数字化技术推进产业变革。经过全面评估，2017年，万华化学决定以宁波万华基地为试点，部署工智道作业管理系统，对传统作业管理方式进行数字化升级。紧接着，2018年，万华化学成立了集团信息化战略委员会，对企业数字化转型进行整体规划、统筹推进。宁波万华化学基地工智道作业管理系统试点取得良好成果后，万华化学迅速将成功的数字化经验全面落地，万华化学烟台基地、珠海基地、福建基地等陆续应用工智道作业管理系统。

2020年，万华化学进一步制定了“智慧万华2025”战略，致力于实现标准化向智能化转变。工智道作业管理系统全面落地的同时，宁波万华基地再次部署业务数据中心，通过工智道作业管理系统打通内部各系统分散的数据，为生产技术人员提供高效的数据集成、处理和呈现工具，为企业基于数据分析和挖掘的生产优化与管理决策提供方便。近年来，万华化学与烟台国工智能开展积极合作，利用人工智能辅助研发系统（MAI-dev），主动拥抱人工智能技术所引发的新一轮科技革命和产业变革，联合进行化工新材料人工智能辅助研发的落地应用，通过研发场景数据和人工智能技术的融合应用，推动万华化学在材料开发和工艺优化等方面向智能化升级。

在工业和信息化部公布的2021年智能制造试点示范工厂揭榜单位中，万华化学的聚氨酯智能制造示范工厂上榜。未来，万华化学数字化将以智能制造为主攻方向，依托5G、工业互联网、人工智能等技术，重点打造全球化卓越运营的智能工厂及信息网络高速畅通的现代化智慧园区；持续提升数字化交付能力，打造数字孪生工厂；建设万华化学工业互联网平台，推进大数据、AI技术在设备、质量、研发等业务领域的应用，探索基于万华化学产业链体系的碳计量、碳减排的能源管理解决方案；以智能制造平台为基础，构建全球卓越运营导航系统，打造“5G+工业互联网”应用标杆，推动万华化学“园区化、一体化”高质量发展。通过持续的探索变革、实践创新，万华化学数字化转型成果显著，数字化平台全面更新为智能制造平台、经营管理平台、智慧决策平台、生态圈协作平台和协同办公平台，为国内企业数字化转型提供了典型样本。

3.1.2.2 蓝星星火有机硅——5G边缘云智慧工厂

蓝星星火有机硅是中国化工集团的核心企业，是亚太地区最大、世界前三的有机硅制造商，市场占有率近30%。其通过5G与云计算、物联网、人工智能等技术的融合，为有机硅智能制造赋能，推动企业向绿色制造、柔性制造和智能制造发展。

蓝星星火有机硅智能工厂通过系统集成、数据互通、人机交互、柔性制造以及信息分析优化等手段，实现对多个数字化车间的统一管理与协调生产的同时，对车间各类生产数据进行采集、分析与决策，并将优化信息再次传送到数字化车间，实现车间精准、柔性、高效、节能生产。

通过建设覆盖全厂的DCS、APC等系统，实现对整个工艺过程的监测与控制；借助覆盖全厂的5G网络平台实现生产数据的实时采集、动态分析，快速掌握生产运行情况，实现生产环境与信息系统的无缝对接，提升了管理人员对生产现场的感知和监控能力。通过“5G+智能化工”方案实现对人员、化工作业流程、产品质量等进行实时监测与管理，并致力于产品质量的提升，提高企业运营效率。通过“5G+智能巡检”方案，采用AR、热成像、趋势算法等技术，有效提高了设备巡检中数据的准确性和安全性。通过

“5G+机器视觉”方案，在智能安监平台上采用图像识别、视频分析技术并在重点区域防控中进行应用，对危险行为进行有效识别，有效地规范了现场人员的作业行为；通过AI分析及时发现瑕疵产品，提升了产品质量；通过对人员、设备和作业进行可视化防控，实现安全隐患排查的全面性、实时性和预见性，有效降低了安全事故的发生率。

同时，基于工厂模型构建了有机硅化工的各类工艺、业务模型与规则，并与各种生产管理活动相匹配；根据有机硅工艺流程搭建仿真孪生可视化工厂，对各分厂、车间、工艺间进行数字化集成，为生产操作和管理者提供直接的业务场景。建设了企业信息集成平台，以ERP为核心，向上支撑企业经营分析，向下与生产过程的实时数据高度集成，将各独立的信息系统连接成一个完整可靠和有效的整体。

智能时代传统产业数字化转型不再是简单的数字化替代，而是基于数据+算法的赋能生产和决策革命。蓝星星火有机硅通过MES实现自动排产；LIMS质量管理自动化系统实现质量分析数据与生产过程指标直接关联；无人AGV智能仓库实现了车间灌装、包装、仓储自动化、无人化；智能巡检系统实现了人员定位、路径巡检、危险报警一体化集成；SAP ERP实现了企业整体价值链的精益运作；数字化电商平台实现了线上销售平台的运作；形成了快速感知、敏捷响应、动态优化和全局智能化决策模式。

蓝星星火有机硅数字化转型工作以智能工厂建设为抓手，在构建的完备的工控信息安全防御和数据支撑体系下，针对上游有机硅单体连续型生产，通过数字智能技术全面提升了工厂的自动化操作和设备长周期运行水平，使得上游产品单位能耗降低12%、不良率降低30%；针对下游有机硅多品种产品间歇型生产，创新性地集成应用工业机器人、工业物联网技术、智能物流与仓储技术、生产过程多变量动态在线监测和基于大数据分析的间歇操作工艺优化方法，借助智能技术挖潜扩产、高效研发，使得下游产品生产效率提高20%、研制周期缩短30%；针对上下游一体化协同型生产，实现了多系统的互联互通和数据闭环，全面提升了工厂的资源配置优化和生产流程可视化水平，使得有机硅上下游产品综合运营成本降低20%。最终，实现了有机硅生产持续向低成本、低消耗、低污染、高效率的现代路径转变，并为我国化工行业流程型智能制造起到相应的示范作用。

3.1.2.3　iComposite 4.0——将复合材料成本降低50%

2016年，德国亚琛综合轻量化生产中心AZL启动了iComposite 4.0项目，于2018年12月完成，开发了一种具有自适应性、大规模生产复合材料零件的智能技术。2016—2017年，AZL研究了整个工艺设计，致力于开发每个零件的生产工艺，包括预成型和高压树脂传递模塑（HP-RTM）。2018年，AZL结合所有技术，研究了它们的相互依赖性，实现了零缺陷制造。

从HP-RTM工艺链出发，通过干纤维沉积制成预制件。然后，使用STAXX机器对预制件进行自适应预成型。西门子开展了预成型模拟，将3D零件形状转化为可由STAXX机器生产的2D单向贴片设计，并根据纤维喷涂的数据进行模拟调整。纤维喷涂数据通过使用Apodius视觉系统（AVS）扫描纤维预制件生成。AVS使用摄像头和激光传感器提供预制件的3D光纤方向和光纤面积重量测量，并由Toho Tenax将这些数据输入到零件性能模拟和HP-RTM过程模拟中。纤维喷涂后扫描预制件，单向贴片放置后再次扫描预制件。

除了自适应修改的单向碳纤维贴片外，每个预制件还将获得自己的RFID芯片。RFID芯片由ID Systec开发，可与CF和复合材料配合使用。通过这些嵌入式芯片，可知道哪个预制件位于哪个底板部件中，以及使用了哪些工艺设置。最后，将成品预制件放入HP-RTM模具中并加压。iComposite 4.0工艺链提供了智能HP-RTM设备，可以控制和调整树脂注射以及压力机的闭合轮廓，以实现优化工艺参数，缩短循环时间。

该项目通过增加产量，节省了30%的成本；通过自动化预制，减少了30%～40%的劳动力；在正确的位置使用正确的材料，将材料减少了30%～40%，并将废料减少了25%～50%；通过零缺陷制造，产品不合格率降低了5%～20%。综合这些，总体改善了49%～64%，将成本降低了50%。

如图3-1所示，iComposite 4.0旨在开发一个集成的和自我调节的工艺链，以自适应、自动化地生产预制件，通过智能HP-RTM工艺注入树脂并将其整合到低成本、大容量的结构中，以应用于汽车及其他领域。

3.1.2.4 北京航空航天大学——树脂基复合材料制造模拟和优化技术

北京航空航天大学针对复合材料结构制造低成本化和数字化的发展需求，在多项国家重大研究项目的支持下，对热压工艺和液体成型工艺的固化成型基础理论、制造缺陷形成机理与控制方法、工艺过程数值模拟与优化技术、材料工艺特性测试表征方法与工艺特性数据库等方面进行了系统深入的研究，在复合材料制造过程数字化技术上填补了多项国内外空白。

已开发出先进树脂基复合材料制造模拟与优化技术及相应的软件，用于先进复合材料制造过程的分析、缺陷预测和工艺参数的优化，适用于各种结构形式和制造方法，可明显提高产品质量，降低制造成本，缩短研制周期，提高材料的利用率，对促进复合材料用量和提高应用水平具有非常重要的意义，在航空航天、风电叶片、汽车等领域具有广泛的应用前景。

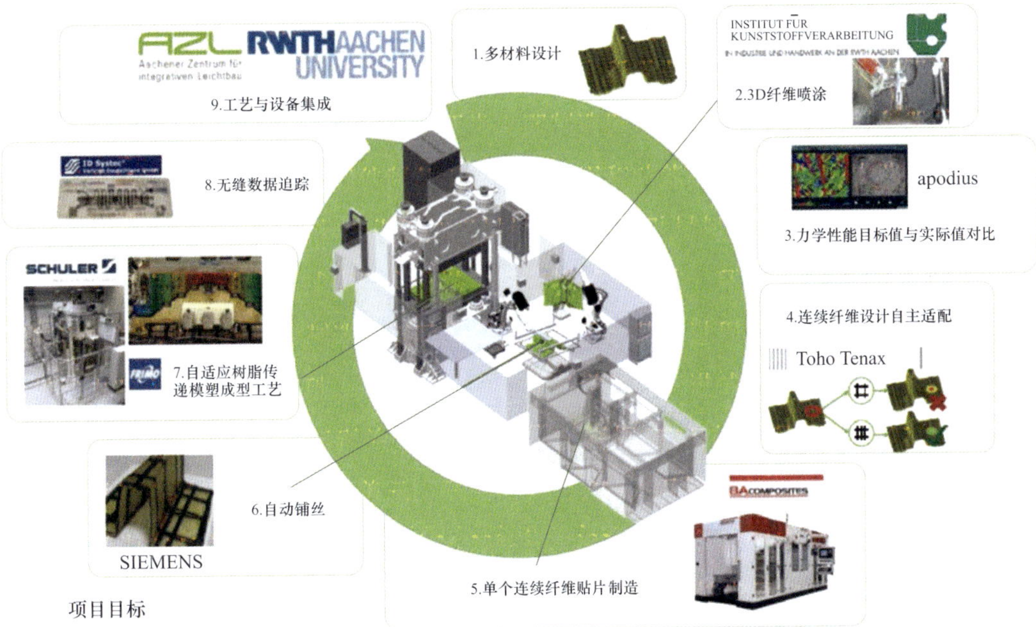

图3-1　iComposite 4.0工艺链

研究成果已在多家航空航天研究院所及主机厂的工程实际中得以应用，如在雷达罩、防热套、波形梁、飞机鸭翼梁以及直升机起落架等方面的应用，取得了良好的效果，显著缩短了制造周期，降低了制造成本，提高了产品合格率。

3.1.3　需求分析

特种聚合物材料是航天航空、车辆船舶、潜艇等实现高速、轻量化、远航程、节能不可或缺的材料，是发展高科技的基础材料。我国特种聚合物材料的市场地位不断提升，并且在产业化方面取得了长足进步，已经是特种塑料生产大国，但远不是强国，生产管理水平落后，产品竞争力不足，高端产品对外依存度高，距离国外先进水平仍然有较大差距。我国特种聚合物材料面临诸多问题：高端材料国产化进程缓慢，国外对我国技术封锁，国内技术投入不足；高端需求牵引逐步显现，随着新型显示、集成电路、5G、人工智能、新能源等领域技术的发展，对高分子材料提出了新的要求，亟需产业布局；技术转化率不平衡，国防应用领域转化率较高，但民用领域由于产业规模小，企业改进优化动力不足，限制了大规模应用转化；研究模式落后，以试错为主的传统材料研究模式限制了新材料的研发与制备；人才培养比例失衡，人才培养多集中于解决科学问题，导致研究型人才和工程型人才培养的比例失衡。目前，特种树脂及其复合材料领

域对大数据与人工智能的需求主要体现在:

① 特种聚合物的理性分子结构设计;

② 特种聚合物配方的设计与快速优化;

③ 特种聚合物合成路线的预测与优选;

④ 特种聚合物制备过程的实时监测与工艺优化;

⑤ 特种聚合物材料的结构设计;

⑥ 特种聚合物材料成型过程的实时监测与成型工艺优化。

“智能聚合物工厂”是以自动化技术、信息技术和现代管理技术相结合以提升聚合物传统行业的综合技术,实现了设计、生产管理和经营一体化。借助智能装备和技术所具备的多种优势,特种聚合物产品的制造效率得到新的提升,产品的成本进一步降低,这些都有助于聚合物制造企业在智能化浪潮的冲击下获得更多的发展机会。因此,要进一步推动互联网、大数据、人工智能等现代信息技术在聚合物材料行业中的应用,加快新材料行业关键技术和装备国产化、数字化及智能化的发展,应用材料基因组、大数据、云计算等新技术和新模式推动高端聚合物材料生产、管理等模式变革,全力推进我国高端材料产业的智能制造。未来,随着现代信息技术与新材料产业的深度融合,“大数据”和“机器学习”将被全面应用于功能高分子材料和制品的智能设计与智能制造,人工智能将在推动特种功能聚合物材料行业快速发展和高质量发展过程中起到尤为重要的作用。

(1)大数据与人工智能驱动是特种功能聚合物材料及其制品智能设计与智能制造的基础

融合聚合物材料高通量计算、高通量实验和大数据技术,创建特种功能聚合物材料构效关系的智能算法和数据库,发展基于“大数据”和“机器学习”的聚合物材料高通量计算设计、高通量制备、生产控制与优化、全生命周期评价溯源,按应用需求进行功能高分子材料和制品的智能设计与智能制造,是实现高性能聚合物材料可控制造和高端制造,突破特种功能聚合物工程制备及其加工的关键技术与装备的瓶颈,推动特种功能聚合物材料行业高质量发展,实现其在航天航空、军工、新能源、交通等关键领域成功应用的重要基础。

(2)大数据与人工智能驱动是特种功能聚合物材料行业发展的需求

经过数十年的发展,我国已成为通用聚合物制造大国,其生产工艺、装备及自动化水平都得到了大幅度提升,且部分工业装置的装备水平与发达国家的装备相当,甚至更先进。聚合物材料生产过程的优化调控依赖于对更多工艺参数的检测以满足智能化运行的需求,传统的温度、流量、压力、液位等过程变量检测已在工程实践中得到了广泛应用，但对复杂成分的物理化学性质在线实时检测仍待进一步研究，高精度和高实时性的检测需求仍受到工业界和学术界的广泛关注。

随着聚合物企业对信息化、数字化软硬件的不断投入，以及聚合物材料行业多学科协同创新体系的不断完善，目前我国特种功能聚合物正朝着高技术、大规模、集约化方向发展，将加快推出一体化产品链和高技术含量、高附加值的新产品，以此促进特种功能聚合物行业的升级和进步，因此加快数字化、智能化技术的应用，确保产品质量和效益的稳步提升，有利于企业自身的成长，更有助于整个行业尽快实现智能制造转型。智能化改造传统特种功能聚合物行业的提质增效升级作用显著，而加大信息化、数字化投入是实现智能化改造的基本保障。

（3）大数据与人工智能驱动是增强特种聚合物行业国际核心竞争力的需求

目前，智能制造的模式主要包括：流程型智能制造、离散型数字化制造、网络协同制造、大规模个性化制造、远程运维服务等。万华化学、金发科技等企业作为国内石化和聚合物材料行业的典型代表企业，通过流程型智能制造改造，成功实现了向智能工厂的初步转型，取得了显著的社会经济效益。当前，我国特种功能聚合物企业的总资产回报率远低于巴斯夫、美孚、陶氏、帝人等同行外企，新常态下，我国特种功能聚合物行业面临的形势极为严峻，因此，加快推进云计算、大数据、物联网等新一代信息技术在传统聚合物功能企业的应用，以此构建特种功能聚合物行业流程型智能工厂，有助于提升我国特种功能聚合物企业精益制造、绿色制造、高端制造的能力和水平，增强特种功能聚合物制造企业的核心竞争力。

美国巴斯夫、霍尼韦尔、陶氏等公司相继提出了“一体化业务解决方案”“数字工厂”“智能工厂”等方案，将数字化嵌入企业发展“基因”，使5G、大数据、人工智能和工业互联网等新一代信息和通信技术在生产装置中广泛应用。然而，我国化工新材料，尤其是特种功能聚合物产品以中低端为主，难以应用于电子、医疗、航空航天等领域，企业的信息化费用投入不足，直接抑制了企业智能化改造的进程，这成为制约我国聚合物行业智能化发展的最大障碍。因此，特种功能聚合物行业智能制造领域必须加快培育一批以自主研发为主的成熟的整体解决方案提供商，从而引导推广模式创新，实现政策与市场的共鸣。

（4）大数据与人工智能驱动是提升企业经营业绩的需求

石化能源市场需求瞬息万变、国内外市场竞争日益激烈以及市场环境日益复杂化，使得依赖石化企业进行聚合物制造的企业经营管理面临着严峻的挑战。如何充分运用信息技术，完善特种功能聚合物行业企业制度，加强自主研发能力，把握市场需求，优化生产方案，降低生产成本，提高企业经营科学决策水平，提升企业竞争力，是特种功能聚合物制造企业和研究者迫切需要解决的关键问题。

聚合物材料相关制造企业体量大，效率提升对经营业绩影响明显，对智能制造的需求巨大。2020年，全球特种功能聚合物的市场规模为530亿美元，其中，中国约为160亿美元，北美80亿美元，西欧和日本均为60亿美元。特种功能聚合物的息税前利润率高达15%，市场规模年增长率为4%，到2025年仍有150亿美元的增长空间。但在推广、实施智能制造的过程中，需要注意以下几点。

① 特种功能聚合物制造企业智能工厂建设，必须遵循与企业发展战略相结合原则，将智能工厂顶层设计纳入到企业发展战略中，充分考虑企业未来业务与管理的发展。

② 特种功能聚合物制造企业智能工厂建设，必须明确建设目标、规划实施路线、制定实施策略、落实保障措施，顶层设计、全员参与，积极培育IT文化。

③ 特种功能聚合物制造企业智能工厂建设，必须以业务需求为导向，立足于解决生产经营、发展建设和企业管理中的实际问题，在统一智能工厂平台及架构的基础上，推进各信息子系统建设，避免形成新的信息“孤岛”。

④ 特种功能聚合物制造企业智能工厂建设，必须下大力气推进装备国产化和软硬件国产化，逐步摆脱对国外软硬件的依赖，努力形成自主知识产权。

3.2 发展目标

应针对特种功能聚合物材料智能制造发展的重大需求，围绕关键工艺、装备、软硬件系统等的智能研发和过程智能调控两个重点攻关方向开展基础理论、方法和共性关键技术与系统的研发及产业化应用，借助“智能+”、物联网和智能制造技术，依托传感器、工业软件、网络通信系统、新型人机交互方式，实现人、设备、产品等制造要素和资源的相互识别、实时联通，突破复杂物料属性精准分子识别与实时感知、多场多相反应过程构效认知、全流程智能混合建模与优化调控等系列“卡脖子”技术，通过构建纵向贯通、横向集成、协同联动的数字化智能化软硬件支撑体系，推动高端聚合物材料智能制造引领的绿色制造和高端制造。

具体目标包括以下方面。

① 创建支撑未来资源、环境、健康等产业高质量发展的特种聚合物材料基因组技术、数据库和智能设计技术，加速新材料的创制和研发；开发用于原料筛选、合成、分离、分析等的整套人工智能技术，研发反应条件智能筛选设备、配套全流程智能控制系统；融合合成材料高通量计算、高通量实验和材料大数据技术，创建关键材料构效关系

的多尺度模拟平台、智能算法和数据库；结合机器学习与量子计算，建立基于材料2D和3D化学结构的描述符集合，建设合成材料基因组大数据平台；发展建立在“大数据”和“机器学习”基础上的材料合成路线设计模型及软件系统，形成“成分工艺—组织结构—宏观性能—工程生产”材料设计多尺度智能计算体系；创建以大通量大型反应矩阵机器人为代表的全自动智能型新材料研发平台。

② 制定大数据与人工智能在聚合物材料制造领域的通信和数据采集标准，开发聚合物材料领域的数据自动采集技术，整合多源数据，统一通信的标准化流程。建立聚合物材料领域的专用数据库及其规范，实现数据共享和材料的全生命周期管理。构建聚合物材料领域的性能数据库，包括材料/分子基础物性数据库，力学、电学、热学、光学、磁学等多个学科使用以及工程应用的数据库。

③ 建设聚合物制造互联网标准化体系，大力推进具有自主知识产权的工业软件研发，相关软件主要具有材料模拟、分子模拟、工艺仿真、设备仿真、结构设计与分析、材料与分子建模、实验设计、过程分析、数据分析与可视化、全局优化、机器学习建模、过程控制、质量管理等功能。开发聚合物制备加工过程中微观质量指标的实时计算与优化控制技术，实现高端聚合物材料的可控制备、柔性化生产。

④ 培育聚合物制造行业与互联网融合发展新模式，培育智慧物流和电子商务，支持现货交易平台等第三方大型电子商务行业平台发展壮大，创新商务模式，推动聚合物产品物流信息化发展，构建面向生产经营全过程、全业务链的智能协同体系。

⑤ 促进两化深度融合，推进聚合物智能制造工程，着力改造提升传统间歇型等生产模式，提高产品性能，实现高质量产品的稳定制造。打造一批具有较强国际影响力的知名品牌，建设一批具有国际竞争力的特种功能聚合物制造企业和新型工业化产业示范基地，加快开发特种功能聚合物新材料，突破一批具有自主知识产权的特种功能聚合物材料关键核心技术，实现关键“卡脖子”特种功能聚合物材料的国产化替代（50% ～ 70%的国产自给率）。

3.3 发展思路与重点任务

3.3.1 发展思路

总体发展思路：借助互联网、大数据、人工智能与聚合物制造深度融合，发展基于材料分子设计和材料基因组的新材料智能设计方法、合成加工技术与软硬件平台，推进新一代聚合物智能优化制造，建设行业领先的特种功能聚合物智能制造工厂。充分应用大数据、云计算、（移动）网络通信和人机交互的知识型工作自动化以及虚拟制造等现代信息和通信技术，从生产、管理以及营销全过程优化出发，推进特种功能聚合物制造高效化、绿色化和智能化发展，不仅要实现制造过程的装备智能化，也要实现制造流程、操作方式、管理模式的自适应智能优化，使企业的经济效益和社会效益最大化。

材料设计与工艺优化：攻克主要原料成分及关键产品质量的智能感知与实时检测技术、关键装备和调控策略，实现相关指标精准的自动检测、数字化和模型化。建设高性能聚合物可控制造示范平台，实现聚酰亚胺、液晶聚合物、聚芳酯、碳纤维、特种TPU等高性能聚合物材料以及相应功能单体的合成与纯化。

发展智能装备和工业软件：研发特种功能聚合物自动化生产过程重大智能装备、高端制造智能控制技术以及具有自主知识产权的工业平台软件，先进智能装备和智能控制软件与系统应用率全行业超过50%。

开发跨装置协同操作优化技术：深入研究装置间工艺共性特征、流程结构、设备类型、考评指标等，应用无监督算法、迁移学习等方法，抽提各工序物流、能流、操作特征信息和关键指标，建立性能评估服务迁移策略，实现跨装置性能评测；集成线性规划、单/多目标优化、进化算法等，开发一体化优化器，自适应工序间目标切换、优化变量调整以及边界匹配等，支撑装置主流优化服务，从而实现跨装置协同操作优化。

发展供应链：研发具有产品生命周期质量管控、安全与风险预警、物质流能源流协同调配、供应链管理、产业链管理功能的全局管理系统，形成完善的石化企业智能车间、智能工厂运营支撑保障体系。

最终实现构建智能工厂系统的发展目标：结合特种功能聚合物制造过程重大智能装备、高端制造智能控制技术以及具有自主知识产权的工业平台软件，构建面向在线监测、智能感知、生产管控、供应链、产品生命周期统一协同的特种功能聚合物制造工厂信息化运行平台，开发聚合过程、工艺、装备、控制、管理、安全、环保等一体化的智能工厂系统，建立物质流、能源流、信息流、资金流综合优化模型和知识库，研发具有产品生命周期和全产业链管理功能的全局管理系统，构建先进特种功能聚合物智能化工厂。

3.3.2 重点任务

（1）材料数据库的建立以及材料的智能设计与优化

聚合物材料的设计和研究，需要聚合过程的机理，材料建模设计和可视化，聚合物材料结构和性能的关系，以及聚合过程流程模拟。因此，定义聚合物材料领域材料数据的数据标准，构建聚合物材料的基础物性和工程应用数据库对聚合物材料的设计和制造意义重大。该数据库应包括DFT计算结果（形成能、能带结构、介电常数等）和实验数据（如渗透性、玻璃化转变温度和机械强度）。将建立好的数据库与机器学习相结合，利用基于高斯过程回归的机器学习模型将聚合物的组分结构和理化性质联系起来，并利用数据库进行训练，可实现预测聚合物的性能。

数据库的建立需要面向量子化学、分子动力学模拟以及面向过程模拟的系列软件来实现，目前广泛采用的软件包括量化计算软件Gaussian、VASP，分子模拟软件LAMMPS、Amber、Gromacs、Materials Studio，过程模拟软件Aspen Plus、ANSYS Fluent等都是国外开发；这方面的软件的国内开发得较少，需要开发替代的国产软件以及配套软件系统，实现整体的解决方案。

（2）实现面向先进技术节点的工艺开发和配套工艺开发平台

在工厂的生产全流程相关业务中，工艺工作处于基础与先导地位。如果说设备是工厂的肌肉，传感器和网络是工厂的神经，那么工艺则是工厂的灵魂。实现特种功能聚合物材料最佳合成路线的设计需要高质量的反应数据、分析反应数据的新方法、带约束的合成路线规划、基于化学反应理论和机制的预测和主动优化多步骤反应路线。智能制造对工艺的要求比传统的生产方式要高很多，不完善的工艺在目前的状况下只会导致生产效率低下、产品质量不稳定。为使工艺精益稳健，引入工业4.0的重要概念——数字孪生，将现实中的环境与状态在虚拟的数字空间中模拟出来，创造虚拟的数字工厂，虚拟现实的环境，对工艺、流程、规划等进行验证、反馈和完善，在虚拟的数字工厂中，对加工过程中的细节以及宏观工艺布局规划的运行情况进行验证测试，提高工作的成熟度，节省时间与资源。此外，目前聚合物智能制造中，工艺信息化的水平是比较高的，但现有的信息化建设缺乏整体的统筹策划，各信息系统相对独立，没有共享信息资源，形成了一个个信息孤岛，对于提升产业整体效率造成了很大障碍。因此，对现有的各工艺信息系统进行集成，实现所有业务在统一平台上开展也是智能制造的重要任务之一。

（3）有序实现配套装备和智能装备的开发与替代，构建用于装备开发的共性技术平台

智能生产制造是当前阶段制造业的发展目标与必然趋势，加快工厂智能化步伐，使其具备高度自我型，以此来促进工厂对生产流程的整体把握以及自主管理，并制定出最为合理的生产方案，为企业创造更大的经济效益。这种模式的工厂生产智能化包括多个方面，比如在生产设备上装设控制器、传感器等，以此来推动制造系统化以及生产信息化等，就在智能生产范畴内。但是就当前发展情状而言，工厂在生产制造时会受到来自各方面因素的影响，不论是生产设备还是后续的整体生产流程，故障与问题是难以准确预测并避免的，而一旦有纰漏发生，就会给工厂带来较大的负面影响。

就整体的智能生产制造来说，包括智能生产系统以及制造系统，在生产制造进程中还可进行对应的智能活动来创新理念，使智能生产过程更加高效。大数据技术是制造业实现智能良性发展的基础与保障，该技术有着较为完善的判别系统与自我预测系统，其可对机械设备运行过程中产生的数据信息进行存储、整理与分析，根据数据反馈实现对设备的保养与维护，使设备始终保持最佳的应用状态，避免后续使用过程中故障的频繁发生。

通过人工智能系统从原有数据库中提取与汇总有效数据信息，需合理应用数据挖掘技术，在庞大的信息库中搜取与筛选应用价值较高的信息资源。

（4）实现面向材料基因组、研发与生产制造各环节的工业软件的国产化替代

工业软件是智能制造的重要底座，工业软件兼具“工业”及“软件”双重属性，与生产制造中流程或工艺密切关联，是专业需求的产物。工业软件是计算机科学、数学、物理学和管理学等多学科交叉融合发展的产物。工业软件行业属于技术密集型行业，复杂度高，具有极高的技术壁垒。目前，工业软件可分为研发设计类、生产制造类、经营管理类以及运维服务类。在四类软件中，研发设计类软件增速最快，2021年国内市场规模为148.2亿元，在总体智能制造软件中市场占有率约为10.3%，未来会持续增长，预计2026年达到24.9%，年均复合增长率为40%，达到接近800亿元的体量。该市场快速发展主要得益于“芯片等高端电子元器件发展”“数字孪生”“年租模式崛起”等原因，使得市场容量得到显著增加。目前我国研发设计类软件严重依赖海外进口，国产化替代空间大。我国工业软件呈现如下特点：设计方法从逆向工程转向正向设计，研发设计类软件的重要性越来越高；各类创新应用层出不穷，旨在实现跨业务领域的业务贯通；实现IT和OT的融合，数字和物理世界的融合。我国研发设计类工业软件市场持续保持较高速增长，主要动力如下：工业企业的竞争策略由成本优势转向科技优势，研发带动软件更新、扩张需求；数字化转型的背景下，工业软件在中小型企业的普及率逐渐提升，需求得到释放。

生产制造类工业软件占据50%的国内工业软件市场，国产软件在部分领域已经具备一定实力，但在高端市场中不占优势。我国CAD/PLM软件仍然被外资主导。国产2D CAD软件水平达到国际较高标准，但是国产3D CAD软件维持在国际中等水平，市场份额小。软件合规持续推动，新兴产业带来快速成长的需求增量。纵观CAD/PLM软件发展历史，胜者为王。从头部厂商的发展历史来看，头部厂商集中度较高，传统CAD/PLM软件已经发展多年，中小厂商基本告别高增长，厂商集中度相对稳定。此外，CAD/PLM软件替换成本高，黏性极强。如果更换，科研人员会产生较大的时间成本，历史数据会产生较大适配成本，系统需要适配成本。随着我国知识产权保护力度持续加码，国内企业开始考

虑性价比颇高的国产软件。面对外部压力，国产工业软件需加快自研和联盟的突围。

（5）面向特定领域实现行业示范，并确保大数据与人工智能技术的落地

生产与经营全过程信息智能感知与协同计算，可以实现从原料供应、生产运营到产品销售全过程与全生命周期的资源属性和特殊参量快速获取、信息集成与协同计算；知识驱动的制造过程决策自动化，可解决深度融合市场和装置运行特性知识进行管理模式的变革的问题，以大数据、人工智能、物联网、知识型工作自动化等为代表的现代信息和通信技术为制造过程决策自动化带来了契机；制造过程多尺度、多目标智能自主调控，将物质转化机理与装置运行信息进行深度融合，可建立过程价值链的表征关系，实现生产过程多尺度、多目标智能自主调控；全生命周期安全环境足迹监控与风险溯源分析，可建立生产制造全生命周期安全环境足迹监控与风险控制的手段。

3.4　亟待突破的基础理论、方法以及技术

（1）数据的自动收集技术

聚合物材料的智能研发、合成、制备和成型的关键是结构性能预测模型和化学反应预测模型。高质量数据是构建预测模型的核心，而缺乏完备的实验数据是主要障碍。专利和文献中有大量可用的数据，要使全部内容可用，切实可行的方法是将数据挖掘完全自动化。此外，模型的构建不仅需要成功的数据，更需要失败的数据，因此从源头上收集数据至关重要。直接在实验室收集可以获得更多有用的数据。这就需要数据的自动收集技术，比如通过计算机视觉系统跟踪实验，自动记录操作和观察到的现象。

（2）典型化工生产过程智能优化关键技术

要以化学品过程效能和微观质量为优化与控制指标，研究面向生产过程大数据协调与校正的优化方法、机理与数据双驱动的过程模型在线学习、参数实时优化及工况迁移调整动态优化。通过建立典型化学品相关流程工业生产动态优化控制模型，提出工艺参数实时优化方法和面向多目标多任务协同优化的方法，完成实时优化算法库的建立。针对典型化工过程原料复杂多样、市场多变、机理复杂、装置运行特性时变等诸多挑战，研究化学品生产过程全流程高精度模拟技术；应用智能控制技术和多变量模型预测控制技术（MPC）等，开发各装置面向产品微观质量指标的先进控制技术，提升典型化工生产过程智能化技术水平。

（3）聚合物材料的在线高性能化技术

特种功能聚合物材料体系非常复杂，其加工性能和使用性能不仅与聚合物分子分子

量及其分布、共聚单体分布有关，还与高分子链的聚集态结构密切相关。因此，分析特种功能聚合物材料的结构、性能以及它们之间的关系十分困难。理论计算和模拟可在结构性能关系的研究上扮演重要的角色。目前，依据尺度的不同，主要的理论计算和模拟方法有量化计算（密度泛函理论）、全原子分子动力学、粗粒化分子动力学、布朗动力学、耗散粒子动力学、聚合物场论、有限元分析等。这些方法仅适用于特定的尺寸和时间尺度。但是，特种功能聚合物材料的研究跨越多个尺寸尺度，比如化学反应发生在电子尺度，可以量化计算，而树脂的交联结构是原子尺度，则需要全原子分子动力学模拟。目前，对聚合物多级结构缺乏调控能力是聚合反应工程领域面临的重大挑战。因此，需要重点研究高分子链的生长速度、结晶速度等微观参数的关键控制技术，详细研究高分子链增长速率、链缠结、链段滑移扩散和结晶速度之间的关系，揭示高分子链解缠结与结晶的机理，探索聚合工艺对强化高分子链解缠绕和结晶过程的机制，实现聚合物材料在线高性能化。

（4）聚合物材料智能化生产一体化技术

针对聚合物材料行业高质量发展的迫切需求，重点研究以下方面：

① 以聚合反应机理模型化为驱动，破解聚合物生产过程中精细建模、质量表征、优化控制等方面的技术瓶颈，开发国内领先的工艺、设备与质量控制集成的高端聚合物材料智能化生产技术，实现提质降耗、安全绿色的生产一体化企业发展路线图；

② 以原料的本征质量为导向，建立工艺、设备、优化、控制一体化技术的研究方法，在微观结构质量指标原位实时计算、多阶段复杂约束动态优化等方面形成技术突破。

（5）聚合物材料制备及加工过程中微观质量的在线检测与优化技术

聚合物材料制备与加工过程的先进控制是稳定与提升聚合物产品质量，实现高端聚合物材料可控制备、柔性化生产的有效途径。但是，瓶颈问题是聚合物优化控制的质量指标即影响产品最终性能的链结构参数（如分子量分布、共聚物组成分布等）和聚集态结构（如多相微结构、界面结构）无法在线测量，而高端聚合物专用料与通用材料有性能差异的根源就在于精细链结构、聚集态多相结构等微观结构的差别，因此迫切需要开发高效、准确的聚合物微观质量在线检测与估计技术，以实现对工艺过程中的所有组分进行明确的全自动识别和量化，相关技术包括：

① 聚合物多层次构效关系表征及高端聚合物专用料加工过程中多相结构的实时检测与演化特性表征。

② 采用传感器阵列对反应器中典型位置的微观环境及产品质量进行在线检测，并结合反应器模型，建立描述产品质量与宏观变量对应关系的数学模型，实现产品质量微观结构的精准调控。

③ 构建全程的反应动力学模型和聚合物微观质量模型，建立基于离线质量分析数据与过程状态检测融合的面向微观质量过程模型的修正方法。

④ 聚合物原料制备过程中微观质量指标的实时计算与优化控制技术。此外，为克服缺乏合适的在线仪器所带来的一些问题，发展基于人工智能的软件传感器，推断出难以测量和无法测量的变量，用以实时跟踪高度非线性的、时变的特征聚合物材料成型过程，实现工艺的优化。

（6）聚合物材料制造的全生命周期实时智能控制与优化技术

特种功能聚合物材料制造的全生命周期包括聚合物原料的制备过程、聚合物改性与加工过程、高分子材料产品使用过程。聚合物原料制备过程包含工艺、过程及装备的智能自主控制，涉及模拟、优化、控制等，并且具有变牌号、多工况、自学习的要求；聚合物改性与加工过程中质量的控制与优化涉及设备参数、加工工艺参数与聚合物质量与性能指标的最佳匹配；而高分子材料产品使用过程中包含质量、性能、寿命的监控与溯源。全生命周期实时智能控制与优化包含复杂过程建模、质量体系监测、软件算法架构和系统性能分析与评估等多方面内容，涉及海量数据、算法、物联网、人工智能等核心技术，重点需突破:

① 机理与数据融合的聚合过程多维度智能建模；

② 聚合过程产品微观质量的实时智能控制技术；

③ 复杂动态多约束下的大规模优化算法；

④ 面向微观产品质量指标的聚合过程反演优化算法；

⑤ 聚合物改性与加工过程中质量的实时控制与优化技术；

⑥ 高分子材料产品使用过程中质量的跟踪与溯源技术。

3.5 发展策略与路线图

3.5.1 发展策略

由于我国目前特种功能聚合物材料整体上处于落后地位，因此，我国应发挥后发优势，充分利用互联网、大数据、人工智能等先进技术，推进先进信息和通信技术与制造技术的深度融合，从而指导特种工程塑料的技术研发与产品迭代，与此同时，深入中小微企业，根据其自身特点加快开发定制化工业软件，帮助其尽快成长。另外，应当充分利用我国推进“互联网+制造”的成功实践提供的重要启示和宝贵经验，根据企业自身发展的实际需要，“以高打低”——采取先进的技术解决传统制造中难解决的问题，扎扎实实地完成数字化“补课”，向更高的智能制造水平迈进。具体而言，可分为以下四个部分。

（1）需求牵引

需求是发展最为强大的牵引力，我国制造业高质量发展和供给侧结构性改革对制造业智能升级提出了很大的需求，我国智能制造发展必须服务于制造强国建设的战略需求，服务于制造业转型升级的强烈需要。企业是经济发展的主体，也是智能制造的主体，发展智能制造必然要满足企业在产品、生产和服务层面的数字化、网络化、智能化需求，满足提质增效、可持续发展的需要。

（2）创新驱动

我国制造业要实现智能化转型，必须抓住新一代人工智能技术与制造业融合发展带来的新机遇，把发展智能制造作为我国制造业转型升级的主要路径，用创新不断实现新的超越，推动我国制造业从跟随、并行向引领迈进，实现“换道超车”、跨越式发展。

（3）因企制宜

推动智能制造，必须坚持以企业为主体，以实现企业转型升级为中心任务。我国不同企业的实际情况各不相同，实现智能转型不能搞“一刀切”，不能“贪大求洋”，各个企业特别是广大中小微企业，要结合企业发展实情，实事求是地探索适合自己转型升级的技术路径。要充分激发企业的内生动力，帮助和支持企业特别是广大中小企业的智能升级。

（4）产业升级

推动智能制造的目的在于产业升级，要着眼于广大企业、各个行业和整个制造产业。各级政府、科技界、学术界、金融界要共同营造良好的生态环境，推动我国制造业整体发展的质量变革、效率变革、动力变革，实现中国制造业全方位的现代化转型升级。

3.5.2 发展路线图

（1）近景路线规划

未来20年是我国制造业实现由大到强的关键时期，也是制造业发展的质量变革、效率变革、动力变革的关键时期。我们应紧紧抓住新一轮科技革命与产业变革带来的千载难逢的战略机遇，以实现制造强国为目标，以深化供给侧结构性改革为主线，以智能制造为主攻方向，科学制定我国智能制造发展战略，坚持“并行推进、融合发展”的技术路线，围绕产业链部署创新链，围绕创新链完善资金链，形成经济、科技和金融的深度融合、良性循环，实现我国制造业的智能升级、跨越式发展。

总结近几年推行数字化制造的经验，采用“探索—试点—推广—普及”有序推进模式是合理和有效的选择。探索是为了验证技术的可行性，通过探索，可以确认技术在企业是可实施的。在此基础上，可以在少数企业进行试点。通过试点，一方面摸索出应用中出现的问题，进一步改善；另一方面让其他企业实实在在地看到智能转型的好处，诱发转型升级的内生动力。通过推广，扩大应用范围，并进一步发现问题，予以改进，使技术、装备、系统解决方案越来越成熟。通过普及，在地区、在行业中、在全国全面推广应用。这样的分步、循序渐进的推进模式，可操作性强，风险小，成功率高，是一条可持续的、有效的实施路径。

与此同时，智能制造的发展一定是源于企业的需求，因此，制造企业在发展中处于主体地位。它们的愿望，必须由一批系统集成商、设备和软件供应商以及开发技术和产品的研究机构共同形成产业群，从技术上保障才能得以实现。金融机构要在发展过程中创新商业模式，通过融资租赁、融资担保等方式，为企业在资金上保驾护航。政府要提出相应的政策，为企业营造有利的发展环境，包括为产业集群的形成招商引资，减小金融机构的投资风险，为人才引进创造优惠的条件。

（2）远景路线规划

材料研发的历程漫长，业界对在20世纪发现并进入市场的材料的生命周期做过研究，平均需要10～20年的研发过程，材料方能从研发阶段进入市场。在基于大数据与人工智能技术驱动特种功能聚合物材料制造领域，远景规划是最终在商业层面实现闭环，只有商业系统才能够验证技术的可行性和完成性。因此，在远景路线规划层面，建议将商业指标均归入远景目标，包括示范材料领域的国产自给率（高端材料自给率75%，中低端自给率100%）。对于10种示范行业以及每个行业3家示范单位，也归入远景路线规划。

大数据与人工智能赋能化工新材料制造战略研究

Strategic Study on Big Data and
AI Empowerment for Intelligent Manufacturing for
Advanced Chemical Materials

第4章 人工智能驱动特种纤维制造的发展战略

特种纤维是国家战略性产业的“功能性基石”，其性能直接决定高端装备的结构安全、新能源装备服役寿命及民生防护可靠性，更是推动纺织工业从“传统加工”迈向“高端功能制造”的核心支撑。当前制造环节面临装备依赖、工艺智能化不足及绿色化滞后三大瓶颈：核心装备高度依赖进口，国产卷绕机存在细旦丝卷装叠丝、自动生头效率低等问题；纺丝过程缺乏实时微观缺陷检测，多源数据难以整合，工艺无法动态优化；绿色制造方面，如薄膜蒸发器单台产能仅为国外一半，循环再生纤维追溯链不完整、测试标准不统一，制约产业可持续发展。

人工智能等新兴技术为突破瓶颈提供了关键突破口。本章围绕“AI赋能特种纤维制造”主题，从分析全球行业态势与国内典型案例入手，明确核心需求与短板；在此基础上，确立分阶段发展目标，重点提出装备国产化、工艺智能化等关键任务；深入剖析干喷湿纺等亟待突破的技术瓶颈；最终规划“近景试点–远景引领”的发展策略与路线图，为产业智能化转型提供实践指引。

4.1 典型案例与需求分析

4.1.1 特种纤维材料智能制造发展态势

纺织行业作为我国传统支柱产业和重要的民生产业，处于向数字化转型的关键时期。特种纤维材料承载着纺织工业乃至国防、交通、环保、健康等产业的发展。纤维新材料的未来要重点关注“绿色”“智能”“生态链”等趋势，要充分利用虚拟现实、人工智能、区块链等前沿技术赋能纤维新材料行业。

智能制造已经成为新时期驱动我国化纤工业实现高质量发展的一大主要动力。现阶段，我国制造业面临的压力包括产品附加值有待提升、劳动力成本刚性上升和能耗排放要求不断提高等。在此背景下，推进纺织行业数字化智能制造是大势所趋。纺织行业数字化智能制造包括智能感知与信息融合（包含图像处理、机器视觉、异构信息等内容），智能物联网与机器人（包含智能网络、智能系统、人机交互等），这些需要大数据理论和人工智能理论的支持。在工业3.0时代，先进控制与运行优化实现了工业过程的运行优化，ERP与MES实现了生产管理与决策的信息化。操作自动化、管理与决策信息化推动了“第三次工业革命”[10]。

纺丝过程的实时监测是特种纤维生产进行智能制造升级的关键。纤维生产流程中的智能感知，涉及检测、分类和识别等环节。比如在纺丝环节，能够动态感知温度变化、喷丝热成像、风速、多尺度数据等。纤维生产流程中的智能感知的任务包括纤维数据工业云——异构数据的采集与处理，聚酯聚合、熔体输送模拟及仿真，基于纤维纺丝机理的纺丝数据云系统构建等。东华大学分别与福建百宏聚纤科技实业有限公司和新凤鸣合作完成了聚酯纤维生产工艺仿真、优化与可视化系统[11]。

与国外先进的智能化生产设备相比，国产设备仍处于“跟跑”阶段。国际上，特种纤维制造装备领域的传统强者欧瑞康巴马格、欧瑞康纽马格、TMT等仍占据着装备制造技术的制高点，推出的新技术、新产品仍引领着特种纤维装备制造行业发展。欧瑞康巴马格的SP8X节能纺丝箱体和WINGS纺丝系统、欧瑞康纽马格的用于生产BCF地毯丝的ROTAC3旋转式交缠节能装置等使得熔融纺丝生产更加节能高效。其加弹机技术均处于领先地位，在全球市场中占据主导地位。

SP8X节能纺丝箱体可满足各种产品的要求，灵活性强；减少了热辐射面积，隔离性更强；拥有经济的过程和极高的生产率；多头纺丝熔体具有质量优势，可保证温度极均匀，没有附加的电加热的要求。WINGS纺丝系统成型过程柔和，能得到高品质的丝线；操作简便，基本适用于所有工艺；半自动生头工艺基于地面操作，所有设备都处于视线内，废丝更少，利润更高；生头时间大大缩短，卷绕系统所需压缩空气大幅减少，有助于节约能源。国内该领域的技术与这些强者存在一定的差距。无锡宏源机电科技股份有限公司是国内化纤高速弹力丝机重点骨干生产企业。2017年，为进一步适应市场发展的需要，公司对重点热销的HY-6型、HY-7型系列高速弹力丝机在维持常有的优势特色性能的情况下，对部分产品进行了差异化设计，使得产品更具特色，适纺性能更优，获得了市场认可。同时，公司产品战略是开发一代、储备一代，具有国际竞争力的新品，诸如HY-9型自动落筒高速弹力丝机、HY-10型多功能高速弹力丝机等的技术进一步完善优化，主要性能指标进一步提高，虽然部分指标已经达到甚至超过国内同行业先进水平，但整体水平和国际先进智能高速弹力丝机还有一定差距。

欧瑞康纽马格的用于生产BCF地毯丝的ROTAC3旋转式交缠节能装置对交络喷嘴进行了优化，气压可以降低约10%，此外，喷嘴的轴承得到了改进，能以更高的速度运行，也可以使用带有更多个孔的喷嘴环，相比市场其他品牌，ROTAC3的交络结分布更均匀，即使在高生产速度下也是如此，新技术可以确保更好的纱线质量，并对后续加工过程产生积极影响。其优点是改善了簇绒或机织加工中缺陷的产生，提高了三色BCF纱的均匀性；较之于传统网络喷嘴，其空气耗量要节省50%[12]。在国际化纤纺丝设备普遍向高效节能、运行稳定、结构紧凑、智能化生产等方向发展的趋势下，相比而言，国内传统的结构繁杂、体积庞大、操作复杂以及配置组合灵活度差的仪器设备越来越跟不上市场潮流，急需进行改进升级，在化纤纺丝装置利润日渐微薄的情况下，寻求一种结构更加简洁、操作更加简化、能耗更低、质量更好的纺丝装置应该成为化纤机械制造商努力的方向。

日本TMT在纺丝、卷绕设备方面拥有振动与噪声解析技术、流体解析技术、材料强度解析技术等多项关键技术，在纺丝工艺方面有着黏性以及弹性流体解析技术、加热以及冷却温度解析技术和色母粒混合技术。其纺丝系统（POY纺丝机）更是处于世界领先地位，具有更多的优势和特色。例如更加集成化的外壳所带来的高保温性能，节省能源；设备小型化，省电，节省空间以及节约人力；新型环吹风，省电，节省空间，可提高丝的品质；世界首创12头×15千克丝饼POY卷绕机，在节省电能的条件下，实现了优异的生产性能，并且凭借新型卷件控制系统，优化了后加工退绕效果等。TMT公司的尖端产品有最高的可靠性与生产效率；它制造精良，因而特别易于使用且外表美观；可充分地调整，能满足工业上的各种要求。我国关键核心装备的关键机械及控制部件仍依赖进口。如卷绕机作为化纤生产过程中的关键核心装备，其关键机械及控制部件基本从国外进口，与国外高端卷绕机相比，制造水平和质量还有较大差距。国产卷绕机对细旦丝的卷装控制精度较低，丝饼成型存在叠丝、底层丝分布不均等问题，而国外巴马格等公司的丝饼卷装质量好；国产卷绕机生头系统自动化程度低，与巴马格卷绕机的自动生头系统比，结构复杂、效率低下。

我国绿色制造重要材料和核心装备与国外相比仍有较大差距。大力发展绿色低碳循环经济，促进生态文明建设已成为全人类的共识，中国纺织化纤行业的绿色发展一直走在世界前列。循环再利用化学纤维（也称为循环再生纤维）作为行业推进的资源节约利用的代表，已逐渐获得人们的普遍接受和认可。但在目前的循环再利用纤维市场中，追溯链不完整、不规范，监管标准、测试方法、次品换算标准不统一等问题频频出现，需通过更清晰的路径和更有效的鉴别手段和平台助力行业可持续发展。绿色环保的采用新溶剂法生产纤维素的溶解核心装备——薄膜蒸发器，普遍存在产能低、高速振动大、能耗高等问题，目前国内单台最大产能仅达到2万吨/年，而国外薄膜蒸发器最大产能已达到5万吨/年。我国纺丝关键装备，在喷板结构、熔体温度控制系统、吹风及回用体系等方面与兰精集团以及德、日等国的喷丝板公司制造的装备相比，仍存在较大差距。溶剂回收关键核心装备（大型离心式压缩机）、高速精密轴承等均需从国外进口。

4.1.2 典型案例

4.1.2.1 北京中丽制机工程技术有限公司大数据驱动的化纤高速卷绕机智能运维系统[13]

碳纤维产业在我国是伴随着军事工业的需求而成长起来的新材料行业。碳纤维具有高比强度、高比模量、耐高温、耐腐蚀、抗疲劳、抗蠕变、导电、热膨胀系数小等特点，既可作为结构材料承载负荷，又可作为功能材料发挥作用[14]。我国碳纤维产业近十年发展迅速，在航空、航天、汽车、能源、交通、电子、运动器材等众多领域得到广泛应用。碳纤维生产过程中，退纱与卷绕这两套装备起着关键作用；卷绕机作为化纤生产过程中的关键核心装备，其关键机械及控制部件基本从国外进口，与国外高端卷绕机相比，国产卷绕机制造水平和质量还有较大差距。北京中丽制机工程技术有限公司围绕打造智能化的化纤生产车间开展了多方面工作，如化纤高速卷绕机智能运维系统的研发、化纤长丝全流程信息化管理系统的开发，以及化纤长丝智能制造全流程自动化工厂的建设。通过这些工作，实现了自动生头、自动落丝、丝饼外观自动检测、自动包装、组件自动装夹、卷绕机故障自动诊断与预测性维护，以及设备管理、生产信息管理的信息化和智能化，最终实现了无人工厂[15]。目前，北京中丽制机工程技术有限公司已与东华大学合作成立了“东华大学-北京中丽制机工程技术有限公司研究生联合培养及科技创新研发中心”，联合开展化纤装备技术创新和高层次人才培养等工作，预计在未来建成卷绕机预测性运维系统，利用卷绕机振动、电流、电压、温度、气压等运行状态信息，借助于大数据分析技术、深度学习理论、人工智能推理算法等技术，对纺丝卷绕机运行状态和关键部件实现故障预警、故障诊断和健康预测，并结合市场、生产、备件等资源信息提供较为合理的维护保障建议或决策，实现更加先进的智能化监测。

4.1.2.2 新凤鸣“互联网+”模式下化纤智能工厂[16]

新凤鸣集团股份有限公司（下称“新凤鸣”）是集PTA、涤纶纺丝、加弹和进出口贸易为一体的化纤行业龙头企业。近年来，新凤鸣构建了“5G+工业互联网”平台——凤平台。凤平台集ERP、MES、WMS、大数据，以及商务智能、App和标识解析于一体，实现了业务链、数据链、决策链的一体化。平台固化的拉丝工艺工作流、业务流、数据流知识超千条，实现了交易、融资、物流的全供应链服务，塑造了化纤产业集群新模式，构建了“互联网+化纤”数字新生态。建立了基于5G MEC技术的网络切片云，应用5G架构和技术逐步替代传统的网络部署方式。结合5G组网技术与化纤企业工厂布局，将整个工厂的5G网络环境分为4个区域，分别为前端区域（工控终端）、传输区域（无线宏站，室分，MEC）、云平台区域（企业私有云）、内网区域。通过3个5G基站，完成对洲泉片区约107万平方米（约1600亩）的5G信号全覆盖，数据在私有云中流转，实现了各边缘端与私有云信息的同步、工艺及产品数据的云端统一管理。通过“数据+装备”实现了生产全链条的智能化。新凤鸣进一步提升了生产柔性、绿色智能生产能力。综合应用5G MEC技术，通过数据+装备+AI研发出了5G智能监控机器人，改变了以往靠人用肉眼周期性巡检观测产品飘丝的方法，降低了劳动强度，提升了检测效率，全面应用后优品率提升了0.3%，年直接收益超千万元。5G IGV智能搬运机器人改变了人工提肩扛的产品搬运方式，减少了额外用工，提升了工作效率，保障了产品外观质量。综合应用5G的灵活部署特点和8K高清视频传输等技术，搭建了覆盖超过5000个点位的巡检和应急调度指挥平台，实现了随时随地对集团关键点位、岗位的有力管控和调度。全链条数字化制造实现了各环节装备之间的集成联动，以及人与人、人与设备之间的高效协同，自动化率超95%，支撑了企业的优化管理、提质增效，提升了生产管控能力。在产线智能化方面，新凤鸣以产品标识解析为主线，全面打通生产和经营的信息链，通过数据和装备实现了生产全链条的智能化，进一步提升了柔性、绿色的智能生产能力，通过推广，预计能使生产效率提升超过30%[17]。

4.1.2.3 江苏国望高科纤维有限公司生物基纤维智能制造试点示范项目[18]

该项目包括：设计、工艺、制造、检测、物流、包装全流程智能化、数字化；生产全过程在线质量监测、管理，产品从原料到后续厂家应用全程信息可追溯；构建产品数字化设计与制造系统；使用机器人清板、更换组件智能系统改善工作环境，降低劳动强度；通过工业云和对工业大数据的分析利用，实现生产过程的自动化、数字化、信息化和智能化；通过数据驱动不断优化提升，构建企业在质量、成本、工艺、效率、柔性、能耗等方面的综合竞争优势；缩短新产品研发周期，提高劳动生产率，大幅降低人的劳动强度，提高能源利用率，降低企业运行成本，提高企业经济效益，推动定制化生产，引领行业智能化与信息化深度融合。

该项目采用了数据自动采集系统，开发了产品质量在线检测系统、智能物流系统、数据库数据采集及利用与自动预警系统、数字化设计与制造系统、生产工艺仿真系统、定制化生产系统等。随着自动化程度的提高，工业智能化、信息化的深度融合，可以缩短新产品的研发流程，产品研发周期平均能缩短50%，产品不良品率降低了2%，单位产品能源利用率提升了20%左右；提升了定制化产品的比例，实现定制化生产后，定制化了产品近千个，定制化产品率提高了45%。随着智能制造、机器换人的实施，通过智能加弹机多锭位设计使加工速度提升，生产效率提升了25%，人均产值提升近40万元，公司运营成本降低25%。

4.1.3 需求分析

当前，我国特种纤维装备制造水平和质量与发达国家相比，还有较大提升空间。同时，在智能制造方面，智能检测技术与系统、制造执行系统（MES）、短流程特种纤维装备、关键基础零部件和关键工艺机器人等与国际领先水平尚有一定差距。智能化建设是制造业转型的关键环节，也是高质量发展的必然要求。面对新一轮科技革命和产业变革，要积极贯彻国家“互联网+先进制造业”发展战略，全面推进智能化转型。数字化特种纤维智能制造包括智能感知与信息融合，包含了图像处理、机器视觉、异构信息等内容；智能物联网与机器人，包含了智能网络、智能系统、人机交互等。这些需要大数据理论和人工智能理论的支持。要实现智能制造，需要从以下方面入手。

（1）研发设计的智能化

以材料基因组相关技术为依托，研究高通量多尺度材料模拟的建模方法，开发适用于高通量计算的高置信度和协同式多尺度模拟算法，其中包含大尺度体系电子结构算法、多尺度动力学算法、电子-声子-离子协同输运算法、微观-介观-宏观耦合算法等，开发以第一性原理为基础的量子力学-热力学-动力学-宏观力学高通量集成算法理论和软件，在并发式作业的“关联”技术上取得突破，在特种纤维方面开展验证性应用。

研究基于主动学习、元启发式、贝叶斯优化、受约束多目标优化等的算法，材料结构和性能反演优化方法；研究基于领域知识、高通量实验数据、第一性原理、多尺度仿真技术等的大数据驱动的“分子结构–反应条件和加工工艺–产品质量”模型，并用于特种纤维的研发和设计。

（2）工艺过程的智能化

原丝生产是特种纤维制造的核心环节，原丝质量的好坏直接决定了碳纤维产品的质量、产量、生产成本和市场竞争能力。质量低劣、均匀性差的原丝在后续生产过程中会产生毛丝缠结、断丝的情况，导致原丝损耗。原丝成本在整个特种纤维生产成本中占比最大，占50%以上，所以控制好原丝质量至关重要。以可视化、知识化、智能化为设计原则，以知识工程为支撑，利用机器视觉技术建立在线检测系统，对特种纤维成型过程进行实时在线检测，检测纤维上的毛丝、焦丝、毛团，并以落筒为单位存储缺陷图像，从而实时调整工艺参数，不断优化原丝生产的质量。研究数字化设计与仿真技术、计算机辅助设计工具（CAD、CAE等）和设计知识库，集成三维建模、有限元仿真、虚拟测试等技术，应用新材料和新工艺开展基于模型的特种纤维设计、仿真优化和测试。

（3）关键设备的智能化

建设“智能化物流输送线”“智能控制高熔化率窑炉”“智能配料系统”等一系列智能制造核心装备，将智能化设备以及生产线与MES、ERP等应用软件深度融合，并通过智能传感技术及工业物联网络，实时采集生产过程、环境、能源、设备等信息，实现人、设备的互联和集成，打造工业物联智能化工厂及其精益协同制造过程。我国特种纤维装备制造技术及水平与国际先进水平相比，仍有一定的差距，如设备自动化智能化水平不高、系统解决能力不足、高端产品占比较低等。关键核心装备的关键机械及控制部件仍依赖进口。如卷绕机作为特种纤维生产过程中的关键核心装备，其关键机械及控制部件基本从国外进口，与国外高端卷绕机相比，我国制造的卷绕机的技术水平和质量还有较大差距，智能化水平低。

因此，要开发智能制造单元设备，实现单机动作自动控制；开发特种纤维生产全流程集成控制系统，实现全线自动控制及工艺参数智能优化；建立物料自动跟踪系统，实现从纤维原料入厂到最终产品销售的全程可追溯；建立覆盖数字化车间的能源数据采集及智能管理系统，实现能源消耗的最优化；建设数字化车间网络、数据中心、网络安全防护体系，搭建数字化车间互联数据平台，实现数据实时采集与可视化、现场数据与生产管理软件信息的集成；通过映射，推动感知、分析、预测和控制能力的全面提升；力争打破国外垄断，实现生产装备自动化、流程控制自动化、生产过程可追溯、能源管理最优化、产品性能稳定化，大幅度降低能耗与综合运行成本。

（4）生产控制的智能化

建立特种纤维输送、挤出、纺丝、卷绕、加弹等的工程技术体系，融合全流程质量及物流、能源管理。研发高频电磁螺杆加热、高剪切速率下的熔体输送与熔体稳定分配、单组双喷真双头纺等技术，实现高稳定熔融挤出。开发大位距均匀冷却成型、高速高均匀集成卷绕、共辊双锭轴24头卷绕等规模化纺丝成型关键技术。研究基于工业互联网技术的制造过程云端管控系统，探究信息流、物料流、工艺流深度耦合的智能管控新模式。研究面向高质量制造及安全环保等议题的大数据分析、设备故障诊断、智能调控等管控技术。推进智能清板机器人、全自动智能纺丝落丝线、全自动智能包装线、自动智能装车机器人、基于人工智能的产品外观检验、智能立体库等自动化设备的研发和应用，实现出入库管理自动化和特种纤维智能车间生产管理自动化。研究多模型融合、可视化等技术，构建装备、产线、车间、工厂等不同层级的数字孪生系统，实现物理世界和虚拟空间的实时同步，对特种纤维工艺流程及布局进行数字化建模。

（5）产品服务的智能化

在特种纤维输送系统中，利用机器视觉系统采集纱车的编号信息和产品品种信息，并配合电气控制系统实现纱车编号与产品品种信息的绑定、校验，以及纱车车型大小的分拣，保证产品的车间物流输送的高效及可靠性，实现智能物流。开发切片智能输送与管理系统、基于在线检测的纤维智能化管理系统、高容积比智能化仓储管理系统等全流程智能化生产管理系统，建立完善的智能制造服务体系是当今企业提升竞争力的重要路径。面向共性需求，建立智能制造综合服务发展模式及平台运营机制。打通上下游产业链与服务链，支持面向智能制造领域的服务定制和服务交易，支持各类环节实时在线服务，打造贯通智能制造全行业、全流程、全要素的服务体系。

4.2 发展目标

当前，以新一代信息和通信技术、新能源技术、智能制造技术等为代表的新兴产业快速发展，对化纤材料提出了更高要求，如超高纯度、超高性能、超低缺陷、高速迭代、多功能、高耐用、低成本、易回收等，化纤材料产业向绿色化、低碳化、精细化、节约化方向发展。化纤材料研发及制备方法创新进程加快，以基因工程为代表的材料设计新方法的出现，大幅缩减了化纤材料的研发周期和研发成本，加速了化纤材料的创新过程。物联网、人工智能、云计算等新一代信息和通信技术的发展，以及新型感知技术和智能化技术的应用，推动了化纤材料产业智能制造进程不断加快。随着化纤市场对高品质纤维的需求更加强烈，以及“中国制造2025”和《“十四五”智能制造发展规划》的推进，化纤机械行业将摆脱以往粗放型发展方式，不断加快结构调整和转型升级步伐，紧跟世界先进技术发展潮流，以前沿基础理论与技术的研究和优化设计为先导，发展高端化纤装备和高性价比的实用化纤装备，研发并产业化短流程装备、智能监测系统、专用机器人等，实现化纤生产的高度信息化、数字化和网络化，使其向智能化迈进[9]。

此外，我国特种纤维研发起步较晚，“卡脖子”技术难题较多，与德国、日本等国的先进水平相比，在关键高端装备稳定性、智能化、智能控制和节能等方面仍存在不小的差距。为此，中国玻璃纤维工业协会、中国复合材料工业协会发布了《纤维复合材料工业“十三五”发展规划》，其中明确提出推进高性能玻璃纤维发展，重点发展耐碱、低介电、扁平纤维、超细电子纤维及超薄电子布等功能玻璃纤维，加快研发智能、绿色的生产制造技术，推动高强高模玻璃纤维以及热塑性复合材料产业化。我国碳纤维产品在应用上集中于低端领域，在对碳纤维质量要求较高的航空航天领域的应用比例仅为3%，远远没达到国际上碳纤维行业在航空航天领域应用占比的平均水平；而在质量要求相对较低的运动休闲用品领域，碳纤维的应用比例却高达80%左右，四倍于国际上碳纤维在运动休闲用品领域应用的平均水平[19]。我国高性能碳纤维依赖进口，国产碳纤维落后的技术严重制约着中国碳纤维行业的健康稳健发展。为突破发达国家的管制封锁，必须研制出高性能碳纤维。我国特种纤维制造发展目标为：到2025年，重点特种纤维总体技术和应用与国际先进水平同步，部分达到国际领先水平；全面提升特种纤维产品质量水平与稳定性，中高端产品所占比重大幅提升，整体水平进入全球价值链中高端环节，特种纤维高端生产装备自主研发水平和自主保障能力显著提升；到2035年，核心系统、关键器件受制于人的问题基本解决，基本建成特种纤维材料自主创新体系；到2050年，全面建成特种纤维材料自主创新体系，材料研发能力和产业竞争力处于全球领先水平；特种纤维材料发展全面满足国民经济建设和国防安全需求，支撑人类经济社会发展。

4.3 发展思路与重点任务

4.3.1 发展思路

随着“中国制造2025”和“十四五”规划的推进实施，绿色制造、智能制造、高质量发展成为化纤行业的主题，特种纤维装备制造技术和水平也亟待升级。大数据与人工智能驱动特种纤维新材料制造的发展思路主要为以下方面。

（1）提升产业链创新发展水平

筑牢创新基础。打通理论研究、工程研发、成果转化全链条，形成企业为主体、市场为导向、产学研深度融合的科技创新体系。发挥高校、科研院所原始创新主力军作用，开展前瞻性纤维材料研究。增强国家级、省级先进功能纤维创新中心服务能力及企业技术中心创新能力。加强关键装备、关键原辅料技术攻关，推动生物基化纤原料、煤制化纤原料工艺路线研究和技术储备，增强产业链安全的稳定性。

（2）推动纤维新材料高端化发展，加快智能化改造

提高常规纤维附加值。实现常规纤维高质量、智能化、绿色化生产，开发超仿真、原液着色等差别化、功能性纤维产品，提升功能性纤维的性能和质量稳定性，拓展功能性纤维应用领域，推进生物医用纤维产业化、高端化应用。加强生产全流程质量管控，促进优质产品供给，满足消费升级和个性化需求。

（3）推进绿色低碳转型

促进节能低碳发展。鼓励企业优化能源结构，扩大风电、光伏等新能源的应用比例，逐步淘汰燃煤锅炉、加热炉。制定特种纤维行业碳达峰路线图，明确行业降碳实施路径，加大绿色工艺及装备的研发力度，加强清洁生产技术改造及重点节能减排技术推广。加快特种纤维产业绿色工厂、绿色产品、绿色供应链、绿色园区建设。

（4）实施增品种提品质创品牌“三品”战略

优化供给结构。以技术为核心，以需求为导向，开发性能和品质优异的产品，为消费者提供个性化、时尚化、功能化、绿色化产品，持续扩大中高端产品的有效供给。开展纤维流行趋势研究和发布，向下游企业和消费者推广技术含量高、市场潜力好的纤维新品种。推广再生化学纤维、生物基化学纤维、原液着色化学纤维等绿色纤维，引导绿色消费。

4.3.2 重点任务

目前，国产碳纤维生产成本居高不下，用于航空、航天等领域的高性能碳纤维与国外存在代差，自主创新能力亟待加强。同时，我国碳纤维应用市场培育迟缓，风力发电、汽车等产业大规模应用尚未进行，工业需求的拉动力较弱。现有碳纤维企业多生产T300级碳纤维，存在一定的低水平无序扩张问题，再加上国外相关企业对我国中低档碳纤维进行价格打压，不利于碳纤维产业的成长，难以形成具有竞争力和可持续健康发展的产业。在对位芳纶方面，国外企业不断通过价格手段对我国芳纶产品进行精准打压，致使国内企业使用国产芳纶产品的积极性不高。同时，国内芳纶生产企业还面临着

国外加强对芳纶单体（对苯二甲酰氯）出口控制的挑战。总之，目前我国特种纤维产业的成长与发展困难重重。面对我国特种纤维生产存在的一系列问题，接下来的重点任务有以下几个。

① 加强基础材料科学的研究。目前，我国特种纤维研究主体以高校与科研院所为主，与企业开展复合材料的应用研究相对脱节；高品质、高纯度的环氧树脂、酚醛树脂及改性高端产品规模化生产能力低；针对高端领域的对先进复合材料的需求，树脂复配体系设计能力有待加强；高性能树脂基体产业化能力不足，缺乏满足低频段隐身、全向隐身、透波、低密度、防/隔热、防弹等性能的产品。此外，还需要加大新型超材料、频率选择、石墨烯等新技术、新材料在结构吸波和透波领域的应用力度[20]。重点发展方向包括：实现M55J、M65J、T1100等级别的高性能碳纤维的工程化制备，满足国防军工与国民经济发展需求；根据实际服役环境对材料性能的需求，实现高性能新型树脂基体的结构设计及高分子复合材料的超微界面控制，实现复合材料快速成型新方法、超大尺寸复合材料一体化成型等新技术的开发；建立起国产高分子复合材料产业技术创新体系，满足国防工业及国民经济重大领域的需求。

② 提升特种纤维产品智能制造技术研发与工艺设计水平。特种纤维制造的数字化关键在于建立原料输入、聚合反应、熔体输送、纺丝全流程数字化仿真系统，使全过程信息互联互通，实现生产工艺可视化与优化，有效提升产品质量[21]。结合材料基因工程，探究特种纤维材料结构（或配方、工艺）与性质（性能）的关系，并通过调整材料的原子或配方，改变材料的堆积方式或搭配，结合不同的工艺，得到具有特定性能的特种纤维材料。融合高通量计算（理论）、高通量实验（制备和表征）和特种纤维专用数据库三大技术，实现特种纤维新材料研发由“经验指导实验”传统模式向“理论预测、实验验证”新模式转变，显著提高特种纤维新材料的研发效率，实现特种纤维新材料“研发周期缩短一半、研发成本降低一半”的目标。

③ 不断提高国内在智能装备制造技术上的基础理论研究。提升现有特种纤维装备制造体系中的设计、加工、外协、装配、安装等环节的一致性，以增加产品运行的稳定性和可靠性。不断突破特种纤维制造核心技术，逐步提高产品性能，打破国外技术垄断，不断增强创新能力，不断加大行业研发经费投入强度，使得特种纤维研发制造能力满足国家战略需求。

④ 大力发展特种纤维装备智能制造技术。开发适用于特种纤维产业化生产和工厂管理的智能化软件，实现工厂办公、管理及生产的自动化和智能化。通过智能工厂的建设，可以达到加强及规范企业管理、减少工作失误、堵塞各种漏洞、提高工作效率、进行安全生产、提供决策参考、加强外界联系、拓宽国际国内市场的目的。特种纤维装备

智能制造应至少包含智能化生产、安全管理、能源管控、环保管控、营销管理和售后服务等六个方面。以工业互联网为主线，有序建成经营管理、生产运营、客户服务、基础技术四大平台和智能工厂；按照“能集中不分散、能自动不手工”原则，重建一体化智能制造平台，集ERP、MES、WMS、大数据，以及商务智能、App和标识解析于一体，实现内外部互通互联，一体化打通业务链、数据链、决策链，实现“一个平台、一个标准、一个团队”，解决行业难题，支撑和保障企业高质量发展。智能化的生产有利于提高管理水平和产品质量，降低劳动力成本，包括以下几个方面：一是工艺设计的数据化，能够实现自动匹配；二是面料设计的虚拟实现；三是机器替代人工操作；四是质量检测的自动化；五是生产环境的检测和自动调节；六是设备运行状态的实时监控；七是生产数据联网自动统计分析；八是生产流程自动化，搬运、包装自动化和智能仓储；九是纱架和卷布系统的改造。

面对对纺织智能检测技术与系统的迫切需求，智能纺织装备相关基础理论研究和跨领域交叉研究能力亟待提升。一方面，要联合各方构建可信的数字化平台，为品牌提供价值增益；另一方面，基于大数据、人工智能等新一代信息和通信技术，引导企业加强自动化、数字化和网络化制造，为促进行业全面发展奠定基础。

⑤ 推动高性能特种纤维的制备与推广，优化区域布局。落实区域发展战略，引导特种纤维生产企业参与跨国产业链建设，鼓励企业完善全球产业链布局。培育优质企业，鼓励企业通过兼并重组优化生产要素配置，加快业务流程再造和技术升级改造。支持龙头企业集聚技术、品牌、渠道、人才等优质资源，增强供应链主导力。提升高性能纤维生产应用水平，提高碳纤维、芳纶纤维、超高分子量聚乙烯纤维、聚酰亚胺纤维、聚苯硫醚纤维、聚四氟乙烯纤维、连续玄武岩纤维的生产与应用水平，提升高性能纤维质量一致性和批次稳定性。进一步扩大高性能纤维在航空航天、风力和光伏发电、海洋工程、环境保护、安全防护、土工建筑、交通运输等领域应用。加快生物基化学纤维和可降解纤维材料发展，提升生物基化学纤维单体及原料纯度，加快稳定、高效、低能耗成套技术与装备集成，实现规模化、低成本生产。支持可降解脂肪族聚酯纤维等可降解纤维材料关键技术和装备攻关，突破原料制备和高效聚合反应技术瓶颈，加强纤维可降解性能评价，引导下游应用。为优化供给结构提供空间。加快功能性、智能化、高技术纤维材料领域标准的制定，支撑行业品种数量、质量和品牌影响力的提升。完善国标、行标、团标、企标协调发展的化纤标准体系，充分发挥团体标准引导产业发展、激发创新活力的作用。加强标准化人才队伍培养，提升企业从纤维到面料（复合材料）直至终端制品的标准研制和检测能力。推进国际标准化工作，推动技术、标准和认证体系的国际合作与互认。利用国际纺织纱线展等平台，借

助发布会、新媒体网络等手段，扩大“中国纤维流行趋势”和“绿色纤维”等工作的影响力，提升消费者对中国纤维和企业的认知度。鼓励企业建立品牌培育管理体系，加强品牌管理团队建设，培育功能性纤维品牌，发挥纤维品牌在服装、家纺、航空航天等终端产品中的增值作用。

⑥ 充分利用新一代信息和通信技术，打通控制系统和管理系统的技术鸿沟，构建信息和物理一体化的开放、扁平、对等体系架构，打通“生产互联、企业互联、知识互联”三个层次互联能力，实现资金流、物质流、能量流和信息（知识）流的“四流合一”。充分体现数据驱动的人工智能、知识驱动的智能优化制造理念，支撑人机物三元融合。同时进行联合体建设，跨领域协同。打破企业的传统工业思维，建立多领域合作人才队伍，融合科技资源，加大智能制造研发投入，实现我国特种纤维产业智能制造的快速发展。

⑦ 建立智能生产系统。智能制造是一项复杂的系统工程，帮助用户实现自感知、自学习、自决策、自执行、自适应等功能的新型生产方式才能称作真正意义上的智能制造。智能制造无论从内涵上还是从外延上，在方案构成层次、业务复杂程度以及对供应商的能力要求等方面都远超传统自动化。对于特种纤维制造而言，关键核心装备的关键机械及控制部件仍依赖进口，所以许多关键性问题无法得到解决，急需市场的反馈和验证。总体来讲，目前智能制造市场空间广阔，市场刚刚开启，供应商需要继续提升能力，推出更多符合市场实际的智能制造系统解决方案，绝不能仅仅是针对传统自动化方案进行优化。

我国制造业大多数企业至今仍采用传统生产模式，其主要特点是：按预测和经验制定生产计划，生产过程与订单无直接关联；产品可靠性不高；生产不均衡，无节拍，生产过程不连续，以大量成品和中间库存应对交货期竞争，效益不高。国内在装备制造技术上的基础理论研究薄弱，如缺少对化学纤维纺丝过程中关键设备的热场效应的分析研究，不能准确获取纤维的纺程状态、冷却条件等，设备节能效果差等问题。智能制造供应商逐渐意识到，需打牢基础、切忌跟风、深耕细作，基于用户的问题不断深入实践，迭代优化解决方案，为客户提供有价值的服务，才是企业长久发展之道。

智能制造，由于属于新领域，企业和供应商均无成熟的经验可以借鉴，需要摸索前行。大多数情况下，企业提出的多是问题，而对于需求描述并不清晰，对于供应商而言，挖掘客户需求的能力就显得尤为重要。因此，智能制造业务的第一个环节是咨询诊断。提升咨询诊断的能力是一个很大的挑战，经常会遇到跨学科、跨专业、跨领域的问题，在这种情况下，供应商往往束手无策。此双重因素是导致智能制造市场对接不畅的根本原因。特种纤维制造行业本身的智能技术尚未成熟，需要从全局思考才能解决问题，因此对数字化基础比较好的特种纤维生产企业进一步推进网络化，实施大数据，提出了更高的要求。未来，供应商整体性咨询规划的能力需要进一步提升。

过去几年，制造业常有创新方案，但是这些方案主要以提出技术架构为主，并且很多并未进行真正意义上的市场验证和实践，很难落地。随着智能制造市场发展的深化，真正围绕用户的需求场景进行落地应用方案的开发逐渐成为核心问题，供应商深知协同创新的意义和价值。目前，开展协同创新的模式有产学研结合、创新中心、孵化器、战略联合体等，特种纤维制造行业也需要跟随潮流，结合这些模式创新发展，真正将技术应用到实际生产中。与美国、欧盟、日本等发达国家和地区相比，我国纺织行业智能制造技术总体落后，主要表现在纺织制造的装备、传感器、专用控制器件、控制软件、工业软件等软硬件基础能力相对较弱，核心技术缺失，共性技术不足，高端装备、关键部件和基础件大多依靠进口，或通过引进、消化和吸收进行二次开发，造成设备运行匹配、难以联动问题，所以在这些方面的国产创新设计与合理的应用实践也是特种纤维智能制造最需解决的问题之一[22]。应建立智能车间和特种纤维智能物流系统，实现丝车上线、出入库、裹膜、开箱、装箱、贴标、封箱、打包、码垛“一条龙”全自动。

特种纤维行业人才储备一直是个大问题，近几年人才流失较多，而储备却很少，人才储备决定着供应商未来的竞争力，也是保障业务长效稳定开展的前提，尤其是对于外部业务成长过快，而内部管理能力滞后的供应商更为重要，需要加大人才投入力度，着重培养具有机械制造、电机及控制、信息自动化、人工智能等学科知识的高技能人才。

⑧ 实现特种纤维材料产业可持续发展，不断完善绿色制造体系，加快绿色工厂、绿色产品、绿色园区和绿色供应链的建设。绿色制造体系在纵向上包含了绿色产品的设计、产品的生产加工以及产品的供应链建设；而在横向上，则将工厂、产业链及整个园区有机衔接在一起。绿色纤维市场占比提高到25%以上，可使生物基化学纤维和可降解纤维材料产量年均增长20%以上，废旧资源综合利用水平和规模进一步发展，行业碳排放强度明显降低。提高循环利用水平，实现化学法再生涤纶规模化、低成本生产，推进再生锦纶、再生丙纶、再生氨纶、再生腈纶、再生黏胶纤维、再生高性能纤维等关键技术研发和产业化。推动废旧纺织品高值化利用关键技术的突破和产业化发展。严格能效约束，完善特种纤维行业绿色制造标准体系，依法依规加快淘汰高能耗、高水耗、高排放的落后生产工艺和设备，形成一批具备较强竞争力的龙头企业，构建高端化、智能化、绿色化现代产业体系，全面建设特种纤维强国。

4.4 亟待突破的基础理论、方法以及技术

4.4.1 特种纤维制备工艺亟待突破

我国特种纤维制备工艺还处在中低端水平，高端制备工艺技术长期受到国外的封锁，甚至连一些特种纤维的进口都受到限制。一些军用的耐腐蚀纤维、耐高温纤维、弹性体纤维、功能纤维、高强度高模量纤维的制备工艺更是长期被国外垄断。

（1）碳纤维

碳纤维制造分为原丝制备、碳丝制备两个阶段，原丝制备包括聚合、纺丝工段，碳丝制备包括预氧化、碳化工段。在纺丝工艺中，干喷湿纺工艺相比于湿法工艺，使产品在表面结构、拉伸结构以及加工性能上具有明显的优势，是先进的碳纤维原丝技术路线。由于干喷湿纺技术难度高，国内外具有干喷湿纺碳纤维生产技术的企业较少。2010年以前，仅日本东丽、美国赫克塞尔两家具有成熟的干喷湿纺碳纤维产品面世，其产品是国际市场主要的工业领域及航空航天领域使用的碳纤维。2018年1月，中复神鹰“干喷湿纺千吨级高强/百吨中模碳纤维产业化关键技术及应用”成果荣获2017年度国家科学技术进步奖一等奖[23]。另外，大丝束碳纤维的生产模式与小丝束碳纤维生产模式有较大不同。从20世纪60年代聚丙烯腈基碳纤维生产技术的突破开始到现在，市场上一直以小丝束碳纤维为主要产品，大丝束碳纤维直至20世纪90年代中期拉伸强度取得技术突破后才开始广为应用。大丝束碳纤维生产属于复杂技术行业，其对技术要求高，工艺流程复杂，需要资金较多，因此世界上大丝束碳纤维的生产量不大，主要集中在几家大企业，有美国卓尔泰克、德国西格里、英国考陶尔兹等企业[24]。目前我国大丝束碳纤维生产企业的技术水平与国际先进水平仍有一定差距，缺少相应的技术标准，预氧化过程中的控制技术不成熟，展纱技术水平较低，原丝油剂质量不过关，上浆剂主要依赖进口，上下游产业脱节。因此，急需突破该方面工艺技术的瓶颈，促进国产高品质碳纤维的生产。

为此，需要加强国产碳纤维高性能、低成本制备技术研发，突破T1100级碳纤维的国产化技术，开展M55J级高模高强碳纤维稳定工程化技术研究以及M65J级碳纤维制备关键技术研究，产品实现国防型号应用。突破具有高强高模高韧高延伸性能、压缩与拉伸性能均衡特征的国产碳纤维制备技术；开展千吨级及以上规模的T300、T700和T800级碳纤维低成本产业化制备技术研究，开展高速干喷湿纺纺丝工艺系统技术集成研究；突破48K以上大丝束碳纤维批量生产关键技术[20]；突破大规模一体化对位芳纶生产制备技术，建成万吨级生产线；开展碳纤维复合材料设计与在航空和航天等领域应用技术的

研究，包括与国产T800级碳纤维匹配的高韧性预浸料用树脂设计改进及规模化合成技术，RTM树脂配方设计及规模化合成技术，国产高强中模碳纤维预浸料质量与性能一致性控制技术，RTM复合材料增韧技术，复合材料快节拍制造技术，国产高强中模碳纤维复合材料适航验证技术等；实现M55J、M65J、T1100等级别的高性能碳纤维的工程化制备，满足国防军工与国民经济发展需求；根据实际服役环境对材料性能的需求，实现高性能新型树脂基体的结构设计及高分子复合材料的超微界面控制，实现复合材料快速成型新方法、超大尺寸复合材料一体化成型等新技术的开发；建立起国产高分子复合材料产业技术创新体系，满足国防及国民经济重大领域的需求；开展高强高模高韧且拉压平衡的碳纤维增强树脂基复合材料的研究，研发以全面替代高性能铝合金为目标的第三代先进复合材料；实现国产低成本高性能碳纤维高分子复合材料在建筑、风电叶片、输电缆线、汽车和轨道交通等领域的应用。

（2）玄武岩连续纤维

玄武岩连续纤维（CBF）属于高科技、高性能纤维，它具有技术含量高、专业分工细致的特点，涉及的专业领域较广。目前，生产工艺还处于初级发展阶段，主要的生产方法是池窑法，分为两步法和一步法，但玄武岩纤维生产在拉丝漏板技术、池窑均化技术、浸润剂技术和原料均化等方面存在瓶颈。当前，CBF产业化发展处于俄罗斯、乌克兰和我国三足鼎立的局面。我国的玄武岩连续纤维项目较多，但仍受制于多个瓶颈，如拉丝漏板的孔数少，池窑均化技术有待于进一步优化，玄武岩原料品质不稳定需要进一步筛选。另外，我国玄武岩连续纤维领域人才缺乏，重复建设较多，玄武岩连续纤维产量偏低，造成资金与矿产资源浪费等诸多问题[25]。

（3）生物基化学纤维

目前我国生物基化学纤维的发展尚在起步阶段，还存在一定的问题，例如关键单体和原料尚未解决，供应体系不够完善，关键技术和装备水平与先进水平相比仍有差距，相对石油基纤维成本较高，生物基化学纤维从原料制备到产品生产工艺流程长、关键环节多、技术难度大，跨学科交叉，技术转化瓶颈较多，没有通用的技术与装备，整个流程需重点针对原料单体来源、制备、提纯和合成工艺进行开发。因此，各生产企业都有针对性地开展了工艺技术、装备的自主研发工作。

莱赛尔纤维生产设备中的关键设备——大容量反应釜及薄膜蒸发器的自主研发、设计、制作能力不足，高效低耗的NMMO溶剂净化浓缩技术、低浓度溶剂深度处理技术以及溶剂净化废水生化处理技术亟待提升。PLA纤维生产需进一步攻克高光纯乳酸的无固废制备技术、丙交酯产业化技术等。PTT纤维生产原料PDO（1,3-丙二醇）的精制工艺环节还需继续优化，提高转化率，产品质量还需提升，其副产物BDO（2,3-丁二醇）

的量较大，而BDO的市场尚未打开，未能实现高附加值利用；1,5-戊二胺生产技术处于产业化起步阶段，一步法戊二胺生产技术尚未突破，PA56大容量连续聚合及熔体直纺装备关键技术尚未突破。海藻纤维生产采用自主知识产权、自行设计的产业化成套技术及装备，技术尚需进一步优化提升[26]。

4.4.2 高端化纤装备核心技术亟待突破

当下，我国特种纤维装备制造技术及水平与国际先进水平相比，仍有一定的差距，如设备自动化智能化水平不高、系统解决能力不足、高端产品占比较低等，存在设计理论和关键技术研究不够深入、智能制造研发投入不足等问题。

（1）提升特种纤维材料的制备工艺

利用材料基因组、高通量智能筛选、高通量实验的机器人化等，加速对特种纤维的研发[27]。需要对特种纤维纺丝过程中关键设备的热场效应进行分析研究，准确获取纤维的纺程状态和冷却条件等，有效加强仿真计算与模型验证等技术的支撑能力。加快卷绕机新品从研发到应用的速度，加快卷绕机卷装控制技术研究，解决细旦丝卷装易出现叠丝、底层丝分布不匀等问题。

（2）开发特种纤维智能制造技术

学习和引用先进纺丝装备系统应用计算机、可编程逻辑控制器，加大力度提高高速纺丝系统的智能化水平，建立包括原料参数、装备参数和工艺参数的大数据在线质量管理系统，建立纤维材料条干、张力不匀率等与产品质量相关的主要参数的在线测试和监控系统，建立毛丝、僵丝、油污丝、卷装成型异常等不良外观的在线检验系统，即外观在线检验系统、在线张力及均匀性监控系统。

（3）建设智能制造软硬件配套设施

我国特种纤维行业的智能制造水平还处于从自动化向数字化与信息化结合的转变阶段，部分企业采用了工业互联网，但智能化装备较少。因此，我国急需全面打造智能制造的装备、传感器、专用控制器件、控制软件、管理软件等软硬件基础设施；全面掌握特种纤维关键装备、部件的制造技术和重要理论，完善产品设计、开发和加工要求；实现高端特种纤维生产中的瓷件、轴承、传感器、大型离心式压缩机和功能纤维用卷绕头等的全面国产化。

（4）实现生产过程的实时监测

纺丝过程的实时监测是特种纤维智能制造升级的关键。纤维生产流程中的智能感知涉及检测、分类和识别等环节，因此急需实现纤维生产流程中的智能感知系统的建设，包括纤维数据工业云-异构数据的采集与处理，聚合、熔体输送模拟及仿真，基于纤维纺丝机理的纺丝数据云系统构建等。

（5）做好智能制造标准体系建设

提升现有各生产工序的自动化程度，将各生产工序有效串联和协调起来，实现全生产过程的自动化；实现生产过程的上下游联动、各管理部门的协同，研究制定评价标准和评价机制，进一步提高智能制造标准体系的系统性和完整性。遵循智能制造的特点，选取能够代表智能制造水平、智能制造特征，并可量化和可检测验证的指标，构成智能制造评价指标体系。

（6）培养智能制造人才队伍，加强科技资源力量

我国特种纤维行业设备供应商多从传统制造业延续而来，而信息化智能化设备供应商对特种纤维产业的认知需要一个过渡过程，在这一过渡过程中，缺乏具有装备制造和网络信息复合知识和实践能力的人才。因此，我国急需具有特种纤维制造技术与互联网技术相融合的知识和能力的人才，以适应特种纤维领域智能制造的需求。因此，加大投资力度，培养具有创新思维的复合型人才是未来特种纤维智造实现智能化的关键。

4.4.3 智能制造亟待突破

近几年，随着全球迈向工业4.0、经济发展放缓，我国更加注重智能制造和互联网的发展和推进。自2015年国务院发布《中国制造2025》以来，每年工业互联网和工业软件的相关扶持政策从未缺席。我国对2022年和2025年工业发展均提出了量化目标，例如到2022年，智能制造装备销售收入实现4万亿元，制造业重点领域企业数字化研发突破70%等。软件是将特种纤维装备与智能制造相结合的重要一环，也是最核心的一环，但目前国产软件仍处于跟跑阶段，发展举步维艰，面对着大量的问题。

（1）国产软件开发能力不足

首先，国内特种纤维生产厂商信息化程度低，导致数据采集困难，无法实现工业软件的完全使用；其次，较多与特种纤维制造有关的软件为个人筹资开发，资金有限；再次，地方政府扶持力度不够，社会资本不愿投资，工业软件项目无人问津；最后，因产品功能、盗版软件、认知偏见等因素，国产软件厂商的营收和利润不高，发展举步维艰。由于开发风险大、周期长，国产软件厂商出于降低成本和风险的考量，不愿意在开发上投入大量资金，潜在的创业者也不愿意涉足技术壁垒较高的设计制造类软件。

（2）基础科学发展慢

国产软件相比国外成熟软件在核心技术上相对落后，通用性和稳定性不如国外软

件，难以处理复杂的场景和需求。对于研发设计类工业软件，国内软件的功能模块也不如国外软件多。工业软件领域属于交叉学科领域，本身十分依赖数学、物理、计算机等基础科学，而我国在这些领域的发展较为迟缓，尤其是研发设计类工业软件，对于基础科学的要求更高，例如CAD最核心的组件是几何内核，支持实体建模、小面片和曲面建模，极其依赖数学的发展。

（3）产业生态薄弱

我国工业软件发展较晚，国内工业软件市场早早被国外厂商占据，而一款较成熟或者较优秀的软件是靠消费者“测试”出来的，任何软件的发展和创新离不开不断的完善，除了生产商要充分了解整套业务流程和基础测试知识外，更重要的是需要客户或消费者使用后进行关键问题和需求的反馈。产业链上下游用户采购不同企业的工业软件，会导致接口标准、数据格式等难以协同，使国产工业软件无法实现一体化的标准和应用。同时，软件行业盗版横行，知识产权保护力度不足。

（4）人才匮乏

工业软件的任何发展阶段，人才需求都是最根本和最直接的问题。由于工业软件行业发展缓慢、人才扶持政策缺失，特种纤维制造行业的软件也面临着人才匮乏的困境。一方面，工业软件高端人才流向其他高产值行业或发达国家；另一方面，绝大多数高校没有特种纤维行业或其他行业的工业软件专业，不完善的人才培养机制使工业软件行业发展更为缓慢。发达国家，尤其是美国和德国，一直在推进软件相关人才的培育，是否做出该方面的改变是最现实的问题。

4.5 发展策略与路线图

4.5.1 发展策略

随着科技进步和世界经济的进一步发展，特种纤维及其系列制品在市场容量和更加复杂的性能方面将会加速发展。特种纤维智能制造的发展、创新是实现特种纤维行业结构调整、化解过剩产能、转型升级的有力保障，是我国科技发展实现可持续发展的基础。为确保实现战略目标，全行业必须面向国家经济、社会发展对特种纤维行业工程科技的需求，坚持以国产化、绿色化、智能化、创新化发展为主题，全面提升特种纤维的制造工艺、生产装备技术和生产管理技术，减少进口依赖，形成核心关键技术，并将特种纤维制造与数字化技术结合，推进特种纤维行业转型升级，从而不断提升我国特种纤维行业发展的质量和水平，力争使我国占领世界特种纤维行业工程科技制高点，成为引领世界特种纤维行业工程科技发展的纤维强国。特种纤维及其制品以杰出的物理、化学性能越来越受到重视，随着我国环保和劳保政策的推进，其在许多行业有着广阔的应用前景。跨入21世纪后，高新产业成为世界经济发展的龙头，特种纤维行业面临着结构调整压力，尤其是实现特种纤维及其系列制品的产业化。我国要打破外国的技术垄断和突破生产技术的封锁，就必须全力以赴进行工程技术攻关，研制出具有自主知识产权的特种纤维技术专利，生产出可与国外同类产品媲美的特种纤维，以取得市场的制高点和主动权[28]。特种纤维智能制造的发展策略包括如下方面。

（1）坚持特种纤维国产化发展

特种纤维及其复合材料是实现卫星平台、运载火箭、大飞机、舰船等国家重大工程建设的物质基础，相关产品长期以来处于禁运或高价进口状态，在技术与生产上受西方国家遏制。随着大国竞争的持续演进，高性能纤维及其复合材料的原料、装备、技术的封锁将进一步加剧，特种纤维及其复合材料的自主研制是解决“受制于人”问题的关键，也是实现“中国制造2025”的必由之路。

（2）推动特种纤维工业绿色化发展

坚持以绿色生态环保为依托，以科技为支撑，以智能化为导向，是特种纤维行业工程科技发展的轴心和立足点。以推进生态文明建设，实现节能减排、资源综合利用和清洁生产为重点，积极提升并推广先进生产工艺和节能减排装备技术，发展循环经济，推进“变废为宝”环保产业发展，提高资源综合利用水平，努力减少二氧化碳排放，彻底整治固废、液废和气废，向低碳和绿色发展主题靠拢。

（3）推进特种纤维行业智能化发展

以进一步提高生产效率、降低资源消耗和环境保护为目的，推动“两化”深度融合。工业化和信息化的加速融合，将对传统特种纤维行业的制造、管理、物流等多方面产生重大影响，催生更为先进高效的生产方式，为行业转型升级提供强大动力。智能制造以数字化、智能化、网络化和自动化“四化融合”为主攻方向，并以此作为特种纤维行业工程科技发展的核心突破口。

通过对生产线实施先进装备技术和智能化改造，打造特种纤维智能制造工厂，是特种纤维行业工程科技发展的集中体现。未来的特种纤维智能制造工厂，通过物联网、互联网、云计算、大数据及智能优化建模与控制等技术，通过物质流、能量流、信息流的协同，实现包括智能制造、智慧设备、智慧安全、智慧物流、智慧能源、智能机器人等在内的预测式智能制造系统，推动特种纤维生产制造由自动化向智能化和网络化方向升级，以降低制造成本、提升运营效率、提高产品质量、降低人员操作过程中可能出现的误差问题、减少安全事故的发生。

（4）增强特种纤维行业创新化发展

实施特种纤维行业工程科技战略，根本在于增强科技自主创新能力。必须注重一线创新人才和青年科技人才培养，着力培养和造就大批高层次创新型科技人才，结合人才引进策略和人才激励措施，积极推进创新团队建设；在此基础上，以行业发展的重大需求为导向，通过改革科技管理体制，改善创新政策环境和创新体系，组织多主体联合自主创新，集中力量开展科技攻关，研发拥有自主知识产权的核心技术装备，制定引导产业发展的技术标准，持续推进特种纤维行业工程科技的发展。

（5）推动特种纤维行业优化发展

① 持续推进特种纤维行业产品结构优化。要充分利用碳排放、环境保护、规范管理、安全、质检、能效、标准规范等政策，借助环保督察、质量监督、能耗审查、安全检查及淘汰落后产能督察等专项执法行动，对行业低端落后产能进行持续施压，使行业低端落后产能无序发展的势头得到有效控制。与此同时，要不断完善高强、高模、超细（单丝直径≤6μm）、低介电常数、高硅氧、耐碱、耐腐蚀、可降解、异形截面、本体彩色、玄武岩连续纤维等高性能及特种纤维的生产工艺与装备，扩大特种纤维及其制品品种系列，拓展玻璃纤维的应用领域。

② 持续推进特种纤维产业结构优化。要大力发展特种纤维制品深加工业，积极延伸产业链并扩大应用市场规模。重点做好风电、光伏等绿色能源，汽车及轨道交通，电子和通信，建筑与基础设施、化工与环保等领域的应用研究与制品研发，不断扩大市场规模。鼓励和引导企业以需求为导向，以创新为动力，走差异化、专业化、规模化发展道路。积极培育一批具有自主知识产权、在细分市场具备显著专业技术和品牌影响力的特种纤维制品深加工专业制造商及制造集群。

③ 持续推进特种纤维市场结构优化。积极融入“双循环”新发展格局，重点做好内需市场的研发与生产供应，将行业产品外贸出口比例降低至20%以内。同时，稳步实施全球化发展战略，重点做好产品质量、应用研究等方面的全球化对标，适度提升海外产能比例，不断增强国际竞争力和全球话语权[29]。

④ 不断提升各主要类型特种纤维生产线自动化、智能化水平，积极开展清洁生产改造，提升产品质量和资源利用效率。在“十四五”期间，要积极发展特种纤维制品深加工业，通过提升原料品质、改造现有技术与装备、创新后加工工艺路线、强化质量管理等手段，不断提升特种纤维制品的性能与质量，丰富特种纤维制品的功能和特性，进而提升特种纤维制品附加值，扩大特种纤维应用市场规模。

总体而言，智能制造对于特种纤维制造企业来说，既是机遇也是挑战。随着特种纤维行业业节能环保压力的增加，产业升级步伐的加快，智能制造的趋势也将日益清晰。而伴随着相关智能技术的进步，企业布局智能制造的意识要不断提高，因智能制造带来的红利效益不断显现，特种纤维智能制造也定将取得更多的突破性成就。未来的特种纤维智能制造工厂将是真正意义上的高科技企业，这种趋势将随着节能环保压力的增加、产业更新换代步伐的加快而日益显现。

4.5.2 发展路线图

围绕特种纤维智能制造的重点领域，开展对特种纤维智能感知技术、知识自动优化理论技术以及智能优化制造实现技术三大关键技术体系的研究，并搭建特种纤维智能制造验证平台，通过典型特种纤维生产过程应用验证，达到实现特种纤维高效、绿色、智能化生产的目的，全面提高特种纤维及其系列制品的制造和实际应用水平，使用人工智能优化理论和计算模拟解决特种纤维在使用中存在的阻碍。

（1）近景规划路线

到2025年，面对特种纤维生产的资源、环境保护、特种纤维品种多样化、高质量纤维比例以及特种纤维智能制造等多方面、多层次的需求，我国特种纤维生产企业需要根据自身实际情况加强产学研联动，增加科技资金投入，完成3个以上集“产、学、研”一体化，生产、科研、加工、营销一条龙的科技骨干企业群的建设。在基础研究方面，以参考仿制的国产化思路开展[30]，以产品研制为主，着重解决实际急需，全面掌握特种纤维材料成分—结构—工艺—性能之间的深层关联，揭示科学机理，保障理论支撑新的应用需求；在技术实施方面，突破国外核心技术垄断，提升自主保障能力，逐步攻克智能感知与工况识别、智能协同优化操作、生产智能优化决策、智能操作特种机器人等关键技术；在政策保障方面，围绕特种纤维行业需求构建智能优化制造创新技术联盟，建立健全特种纤维行业智能制造技术标准和规范体系，实现高性能纤维及其复合材料自主保障、筑牢行业安全基础、构建完整产业链的发展思路和目标。

到2035年，在基础研究方面，建立完善的理论支撑，全面解决自主保障问题，形成特种纤维及其复合材料自主发展体系，建立涵盖材料设计、研发、应用的上下游协同创新体系，实现特种纤维及其复合材料技术多元化、品种系列化、产能规模化发展；在技术实施方面，建立涵盖感知、协同、决策、诊断、可视化的智能优化制造服务体系，绿色、可持续产业体系全面建成，产品进入国际高端应用供应链，并取得明显成效，形成具有世界领先水平的特种纤维智能制造科学理论和技术平台；在政策保障方面，将通过政策和规划推动形成创新技术和新机制的创新，形成知识共享机制，完善使特种纤维行业可持续发展的技术服务和政策。

通过自主创新，开发出满足我国应用需求的高性能增强体纤维技术与产品系列，形成国防用国产高性能纤维及其复合材料的持续自主保障能力。研发出国家优势产业、战略产业以及新型武器装备所必需的新型高性能纤维复合材料，通过使用环境中的规模化验证提高产品的性能和市场竞争力。实现国产高性能高分子复合材料产业化及推广应用，使我国复合材料技术达到世界同步发展水平，并逐步实现全面超越和引领国际发展。

（2）远景规划路线

到2040年，全面建成特种纤维材料自主创新体系，材料研发能力和产业竞争力处于全球领先水平；特种纤维材料发展全面满足国民经济建设和国防安全需求，支撑人类经济社会发展。特种纤维行业将会广泛应用规模定制化制造新模式，形成对传统材料行业的竞争新优势。未来大数据智能、群体智能、人机融合智能的深度应用将进一步提高产品的个性化定制比例。借助智能制造技术发展推进特种纤维行业智能制造进程，将真正实现以用户为中心的特种纤维生产新模式、新业态，实现特种纤维行业高质量发展，真正做到从上而下的特种纤维行业的智能化。

① 设备智能化　拥有智能化核心部件，突破仪器智能化技术，生产设备的精确度和可靠性完全成熟[31]。

② 过程智能化　随着人工智能等技术的成熟，新型工业互联网技术规模化应用，化纤企业要打造出基于互联互通的覆盖产品全生命周期的大数据平台，对数据进行实时采集、大吞吐量存储、索引、查询优化并进行分析处理，实现工艺控制、故障诊断和质量保障等过程的“智能化”。

③ 生产智能化　通过成熟的信息和通信技术实现产品个性化定制和生产制造的完全衔接，满足在每个环境中使用的技术要求、柔性发展。

④ 管理智能化　以“数据驱动”实现研发设计、生产制造、经营管理、成本核算、市场营销等各环节的融合，提高监测追溯、预测维修、质量控制、能源管理、目标客户评估、风险管控等智能化、一体化服务的能力[31]。

大数据与人工智能赋能化工新材料制造战略研究

Strategic Study on Big Data and
AI Empowerment for Intelligent Manufacturing for
Advanced Chemical Materials

第5章　人工智能驱动微电子化工材料制造的发展战略

作为支撑集成电路、OLED等产业的“芯片级基石”，微电子化工材料的纯度与缺陷率直接决定芯片良率及显示器件寿命，是我国电子信息产业突破“组装加工”瓶颈、实现“核心技术自主”的关键，也是全球科技竞争的战略高地。当前制造环节深受数据、装备、软件三方面制约：生产数据量少且高度异构，物理信息数字化表达难、失败数据缺失，阻碍AI建模；关键设备（如单晶硅炉、光刻机）依赖进口，数据采集与控制权限受限；材料模拟与工艺仿真等核心工业软件被国外垄断，自主化率低，限制多尺度工艺优化。这些问题导致高端产品良率低、国产化进程缓慢。

人工智能技术为破局提供了核心路径。本章探讨“AI推动微电子化工材料自主化”的路线。通过梳理全球发展态势与典型案例，厘清行业关键需求与技术短板；继而设定分阶段发展目标，明确装备、工艺、软件国产化的重点任务；聚焦剖析多尺度模拟、先进感知等亟待攻克的技术瓶颈；最终制定“近景试点－远景自主”的策略与路线图，为该领域的智能化与核心技术自主化转型指明方向。

5.1 典型案例与需求分析

5.1.1 微电子材料智能制造发展态势

微电子化工材料行业横跨电子信息与新材料两大国家鼓励发展的行业，是战略性新兴产业之一，该材料是世界各国为发展电子工业而优先开发的关键材料之一，处于从基础化工材料到终端电子产品产业链的中间环节。它具有研制生产技术复杂，质量要求高，涵盖多个学科，更新换代快，产品附加值高，配套性、专用性强等特点。预计在未来几年，我国将成为电子化学品行业增长潜力最大、增长速度最快的国家。我国作为全球最大的电子信息产业制造中心，对电子化学品有旺盛的市场需求，虽然高性能产品仍依赖于进口，但随着我国经济水平的不断提升以及产业结构的进一步完善，电子化学品等技术附加值和经济附加值均较高的高新技术产品有望获得突飞猛进的发展[48]。

变革微电子材料开发与生产制造范式，缩短从材料发现到进入市场的时间，提升产品一致性，降低材料成本，一直是所有微电子材料从业者的夙愿。目前全球范围内，不少公司都成功地将机器学习（ML）或人工智能（AI）用作其数字化转型计划的组成部分，大数据与人工智能技术驱动微电子相关新材料制造已经在全球范围内开展。在材料科学和化学领域，人工智能应用的开发始于几年前，英特尔和三星采用高通量技术进行相变存储器材料的开发；丰田和康宁等公司建立了内部人工智能中心；巴斯夫、松下和LANXESS等大型企业均与相关的供应商或者机构合作开发了数据驱动的研发项目。这些公司发现，当将AI应用于新产品开发时，可以得到正向投资回报，它们逐渐从将AI用于一次性项目转变为部署企业范围的AI基础架构。这一转变使整个企业的AI组织具有更大的自主权和可扩展性。目前，国内外相关研究机构对AI在材料与化学领域应用所面临的挑战做了相应的总结，具体如下。

（1）满足人工智能和大数据应用的数据量小

大数据与人工智能驱动微电子化工材料制造技术依赖于高质量的“大数据”，而由于目前工业生产过程中获取相关数据的成本比较高，因此数据量非常少。

（2）数据源多样

在微电子化工材料的生产过程中，产生了很多来源不同的数据，有些来自设备，有些来自人工，有些来自电子文档，数据源涉及人、机、料、法、环、测等多个层面，这与商业大数据有着巨大的差异。商业大数据一般由AI应用程序从结构化数据源中（例如Excel表格、App分析工具）获取。在材料和化学工业中，数据有许多不同的来源:

测试数据，模拟数据，文献数据，供应商数据表等，以及以不同的格式存在的数据，比如微观结构图像、工艺设备、化学式、光谱图、X射线衍射图等。上述的数据源以及数据模式导致了数据集通常是高度异构的。如果要整合来自不同数据源的数据，例如处理实验室数据和测试数据，需要对材料、单元互操作性以及有关数据谱系的详细信息有深入的了解。

（3）物理信息的数字化表达

材料数据（包括X射线衍射图和微观结构图像等）比简单的文本数据和日期数据复杂得多。化学式中的字母和数字本身并不重要，而它们所代表的含义对于分析至关重要。数据必须转换为代表数据特征的一系列“描述符”，然后才能成为机器学习模型中的参数。定义和表达这些描述符需要深入地了解相关领域的知识，这对于项目的成功至关重要。

（4）预测任务的复杂度

材料领域的预测任务极其复杂，比如通过输入分子结构预测其力、热、光、电、磁等多种性质，而这些性质的预测涉及材料的元素组成、晶体结构、微观成分等多个输入变量，其间充斥着大量的非线性关系。以预测半导体材料性质为例，如果采用人工智能算法则需要完善的数据，然而半导体中存在诸多数据缺陷，这些数据缺陷可能因为杂质浓度的问题，无法用先进测试和表征设备测量，而通过材料模拟方式获取有时也未必能奏效。数据缺失和性质多样都会导致预测任务的复杂度的提升。

（5）微电子化工材料领域的大数据与人工智能技术的应用需要了解物理机制和图像

大数据技术一直被人诟病或者被挑战的一个方面是：工业大数据不仅仅是数据本身，还有其包含的物理机制。物理和化学定律不适用于典型的机器学习应用程序。商业大数据中，数据科学家可以依靠大型数据集和“开箱即用”算法来分析数据并发现新的内容。在材料和化学领域，数据集比较稀疏，因此，将领域知识集成到机器学习的流程中至关重要。

（6）失败的数据很少

大数据与人工智能驱动微电子化工材料制造需要对数据建模，除了需要正确的数据集之外，还需要一定数量的失败的数据集，只有这样才能对模型进行验证和纠偏。

（7）可扩展性

目前来看，大多数的大数据与人工智能技术在材料领域的应用，在可扩展性上还是存在一些问题，大部分的项目还是以“case by case”的方式进行。在扩展AI在材料领域应用时，必须考虑数据库和代码维护、版本控制、模型部署、安全和访问控制、数据管理、连续部署、模型和数据可重用性以及基础架构配置，所有这些都需要在软件工程上投资。

目前来看，在将大数据与人工智能技术应用到材料领域的趋势体现为：

① 注重高质量数据样本集的构建；

② 将大数据技术、AI技术与多尺度仿真技术融合在一起发展；

③ 将高通量实验技术与大数据技术和多尺度仿真技术融合在一起发展；

④ 将大数据技术贯穿应用到整个材料的全生命周期中。

与国外相比，国内材料企业在大数据与人工智能驱动新材料制造领域刚刚起步，其他非微电子化工材料行业也逐步在制造端采用机器视觉等AI技术进行制造效率的提升。形成该现象的主要原因在于：相较于国外厂商在传统技术上的优势，国内企业尚处在通过研发创新等手段进行产品替代和送样验证的阶段。能够在相关微电子化工材料领域实现部分材料国产化替代的制造厂商，大多数完成了自动化和信息化建设，主要以引入MES等为主，数据采集等工作的开展目前还处在初始阶段，应该算是处于数据采集阶段，还未能充分应用大数据与人工智能技术赋能材料制造。部分创业团队则将先进企业的材料研发与制造理念融入创业公司中，但大数据与人工智能驱动材料制造不仅需要理念，还需要相应的人才，包括材料领域的专家、数据科学专家、IT解决方案专家、大数据算法专家等。同时，智能设备是微电子化工材料制造企业占比较大的投入。在微电子行业，微电子材料应用商的将人工智能与材料应用相结合的工作正在持续推进，比如中芯国际采用DMS系统，将大数据和机器学习技术用于晶圆缺陷的管理和良率的提升。

5.1.2 典型案例

下面介绍两家微电子化工材料制造领域的公司，它们将AI和大数据技术应用于微电子化工材料制造。微电子化工材料在国民经济中具有重要的战略地位，是科技创新所需和国际竞争最为激烈的材料之一。目前，我国微电子化工材料产业链的层次不高，如何稳步发展并向高端产业链发展被提上日程。在此领域，我国的龙头企业与大型跨国公司相比还存在很大的差距。微电子化工材料本身存在构效关系复杂、非线性关系频出、需要拟合的材料和工艺的参数繁多等特点。

随着计算机技术、大数据技术、人工智能技术的发展，将大数据与人工智能技术应用于微电子化工材料的研发与生产制造的工作已经在全球范围内开展。大数据与人工智能技术在微电子化工材料领域的应用覆盖了材料的全生命周期。介绍的两个案例分别是陶氏公司和巴斯夫公司。

（1）陶氏公司：陶氏公司聚氨酯业务部加速数字化转型进程

陶氏公司是微电子化工材料领域的著名企业，近年来采用人工智能加速其数字化转型进程。其具体举措是：高度整合人工智能和预测分析能力，用以优化研发、加速创新并简化协作[49]。

陶氏公司旗下聚氨酯业务部门通过整合人工智能与预测分析功能来加速其数字化转型进程，从而提高业务运营中的数据智商（Digital IQ）。陶氏公司在业务的运营中使用全新的数字化工具，使内部流程变得更加智能、更有收益，也能够优化客户体验。陶氏公司与微软对Azure机器学习平台进行研发，将机器学习和人工智能技术整合到自身的预测分析系统中，将材料科学、反应动力学和流变学知识与人工智能进行有机结合，并通过历史数据、预测模型、自动化工作流程和扩展应用来预测产品趋势、配方特性以及模拟客户需求。

智能预测分析系统是陶氏公司聚氨酯业务部在全球范围内实施的旗舰数字化举措之一，旨在从根本上优化产品开发流程，加快差异化解决方案的面市速度。

与此同时，陶氏公司正在将高通量研究与高性能计算相结合，将实验效率提高10～100倍，为客户提供商业化产品的速度提高了2～3倍[50]。

陶氏公司的研究团队开发出了人工智能工具，可快速分析高通量研究数据，识别解决方案，提高聚合物生产效率，优化催化剂，改善配方。同时，研究团队与工厂密切合作，优化生产流程，提高生产效率。

（2）巴斯夫公司：揭示数字化研发之道

巴斯夫公司是微电子化工材料领域的知名企业，其在化工领域以及数字化转型相关技术领域均走在行业前列。巴斯夫公司在许多业务领域开发了人工智能应用程序和解决方案，包括生产、工程、研发、销售等。巴斯夫公司首席数据科学家尼库拉斯・凡尼达克斯表示，人工智能具有降低运营成本、提高效率、确保生产可靠性、改进新产品开发进程以及改善客户体验的潜力。巴斯夫公司与多家公司以及德国柏林工业大学、英国帝国理工学院和剑桥大学等合作伙伴共同开发了人工智能系统。

在生产中，利用生产设施上的数千个传感器，检测生产是否出现异常状况。巴斯夫公司还依靠人工智能系统来解析模型，将先进的机器学习算法与内部和外部数据源相结合，提高预测的准确性，优化库存和产品定价。

在研究领域，在人工智能的帮助下，巴斯夫公司以实验计划预测最优实验，通过关联或汇总信息，利用人工智能找到影响因子或得到新发现。巴斯夫公司使用人工智能的另一目的是了解材料如何随时间老化，并预测材料性能和使用寿命。

巴斯夫公司在AI的研发领域也进行了重大布局，推出了Quriosity超级计算机，利用超级计算机进行材料和分子建模，并将分子模拟和实验相结合，最终实现了加速产品上市的目标[51]。

5.1.3 需求分析

微电子化工材料覆盖范围极其广泛，除了在集成电路领域用到的集成电路专用材料外，在其他包括OLED、LCD等诸多行业均有不少微电子化工材料的应用。目前来看，在微电子化工材料领域进行的大数据与人工智能工作主要体现在如下方面。

（1）采用大数据与人工智能覆盖生产制造八大领域

微电子化工材料制造属于流程制造。在流程制造中，业界一般关注八个领域的工作，分别是工艺优化、智能控制、生产调度、物料平衡、设备运维、质量检验、能源管控及安全环保。上述领域涉及的技术范围极其广泛，比如：针对高温等复杂环境中的生长工艺温度的探测、针对各类复杂工艺的精准控制、针对不同空间尺度（微观缺陷、杂质）的材料物理性质（结构、成分、微观组织）等相关内容的测量和数据采集。

（2）数据驱动实现研发与制造一体化

微电子化工材料行业技术壁垒高，涉及研发与制造的一体化，其中数据是贯通研发与制造的核心链条。解决实验室与制造产线上出现的性能偏差、工艺偏差以及质量偏差等问题，并将研发与产线上的数据进行关联分析，从而从源头提升产品质量，提高微电子化工材料技术的成熟度，一直是微电子化工材料领域关注的关键问题，比如光刻胶的配方与光刻胶产品的分子量分布范围。因此，需要对微电子化工材料进行数据一体化建设，包括材料和分子的数字化表达以及对应的大数据分析和存储等技术的构建。

（3）采用大数据与人工智能实现AI+Science+Engineering

由于微电子化工材料所面向的微电子行业技术更新迭代快，号称“一代工艺—一代材料—一代装备”，因此，需要将大数据与AI技术覆盖材料全生命周期，并且缩短材料从发现到进入市场的时间。行业内之前常用的缩短材料从发现到进入市场的时间的方式主要是试错试验方法以及材料模拟方法。通过大数据与人工智能来加持这两条技术路线，主要体现在如下方面。

① 通过AI提升材料模拟计算引擎的计算效率和计算能力。实际上，在进行微电子化工材料模拟时，除了采用常规的CAE软件外（基于连续介质理论，不考虑材料微观和介观层面的因素），还采用第一性原理、分子动力学、相场模拟等方法，而

这些方法常常涉及微观电子层面、原子层面以及介观组织层面的相关工作，相关的技术手段受限于计算机软件技术，比如常规通用性第一性原理只能处理10万个原子体系，而半导体中的杂质掺杂的浓度几乎都在十万分之一以下，因此需要通过结合AI的方式增强第一性原理的计算能力，这样能够对更多实际的场景进行模拟和计算。

② 通过AI结合材料基因组技术实现在更广阔的空间寻找新材料和目标材料。传统的材料配方设计或者单一材料设计，一般基于专家经验或者借鉴行业经验的进行初步设计，然后通过物理实验来验证，但上述方法在效率和专利保护方面效果并不理想。因此，通过AI结合专家经验和机器学习模型，可在更广阔的空间进行材料的筛选以及性能的预测。

③ 通过AI重新构建机理模型，比如大硅片的生长机理模型等。

④ 通过AI和大数据对仿真类软件的输入参数进行学习、拟合与优化。比如针对微电子化工材料中的高分子材料，通过AI为其进行势函数的拟合，为分子模拟提供精准的势函数等。

⑤ 通过AI实现配方筛选和优化。微电子化工材料中不仅包含单一材料，还包含多种材料（包括溶质、溶剂、添加剂等）的混合，单纯依靠材料模拟技术以及传统DOE方法很难达到理解问题和解决问题的目的。因此，需要借助大数据和AI技术实现对配方的优化，通过大数据和AI为工艺建模、智能控制、DOE、质量管理等方面提供帮助，比如确认输入变量、辨别输入变量之间的关联强度等。

（4）面向微电子化工材料制造的配套装备与智能装备

微电子化工材料的性能归根结底是由材料的成分和生产工艺决定的，设备是实现生产工艺、材料性能的关键保障。目前，国内部分微电子化工材料生产的效率受到设备的影响。以国内300mm大硅片为例，除了对应的生长工艺外，还需要配套直拉单晶硅生长炉，而生长炉一般为国外竞争对手所掌控，并不对国内用户开放和销售。因此，在微电子化工材料领域除了进行材料配方、材料本身以及生产工艺的开发之外，还需要进行相关工艺的配套设备的开发，此为其一。另外，由于智能制造的推进，采用大数据和人工智能驱动微电子化工材料制造需要获取数据，并且要获取高质量的数据。在获取对应的数据之后，需要对数据进行建模和验证，然后给出反馈并给予控制，对工艺参数、设备健康状态进行分析和优化。因此，在利用大数据等技术时需要配套相关的设备与智能装备，此为其二。由于需要用到各类数据都是由各类传感器进行采集，因此在推动大数据技术在微电子化工材料领域落地的同时，还对各类先进传感器有诸多要求。

（5）机理模型数据库与基础材料数据库及其数据库技术

在微电子化工材料领域，需要进行工艺/过程仿真，而这个环节需要用到面向制造环节的机理模型数据库和基础材料数据库。目前该领域的数据库还是缺失的，需要借助于物理实验和仿真模拟构建对应的材料和机理模型数据库。

5.2 发展目标

大数据与人工智能驱动微电子化工材料制造需要实现如下目标。

① 实现关键“卡脖子”材料国产化替代。按照市场需求程度以及技术实现难度，分阶段实现高端材料从0到1的突破，提升中低端材料的国产自给率。

② 推进大数据与人工智能技术在重点微电子化工材料领域的应用，实现不少于10种关键“卡脖子”材料行业的覆盖，每个材料行业不少于3家企业。

③ 制定大数据与人工智能微电子化工材料制造领域的通信和数据采集标准，实现微电子化工材料领域通信和数据采集的标准化流程。

④ 开发面向微电子化工材料智能制造领域的配套智能装备，实现对数据的自动采集、存储以及对采集、存储的智能控制，实现对应机理模型的构建和应用。

⑤ 实现微电子化工材料领域国产工业软件自给率达到40%，并在部分领域实现国产独有特色工业软件体系。相关软件主要覆盖材料模拟、分子模拟、工艺仿真、设备仿真、结构设计与分析、材料与分子建模、实验设计、过程分析、数据分析与可视化、全局优化、机器学习建模、过程控制、质量管理等功能。

⑥ 构建微电子化工材料领域专用材料数据库。

a.材料/分子基础物性数据库。力学、电学、热学、光学、磁学等基础学科科研使用的数据库以及工程应用的数据库；

b.过程仿真使用的基础物性数据库。数据库覆盖了光刻胶、硅基集成电路、第三代半导体、化合物半导体、OLED材料、柔性电子材料等多种关键或“卡脖子”材料的数据。

⑦ 构建面向微电子化工材料领域的机理模型库。实现面向包括光刻胶、先进封装材料、湿电子化学品等诸多关键“卡脖子”材料生产制造的机理模型库。

⑧ 构建面向集成电路、第三代半导体等微电子化工材料制造的共性技术研究平台。微电子化工材料制造需要构建覆盖材料设计与开发、工艺设计与开发、装备设计与开发的共性技术平台，根据新材料技术成熟度分为实验室阶段、工程化阶段以及产

业化阶段。

⑨ 推动产学研合作，构建产教融合平台，实现产业需求—用人需求—高校培养闭环人才培养思路，为微电子化工材料制造领域培养技术人才，进一步缩小人才缺口。

5.3 发展思路与重点任务

5.3.1 发展思路

微电子化工材料制造涉及材料、装备、工艺等多个重点领域，将大数据与人工智能应用到微电子化工材料领域需要考量具体的投资收益以及对应的应用场景。结合前文分析，大数据与人工智能驱动微电子化工材料制造的发展思路如图 5-1 所示。

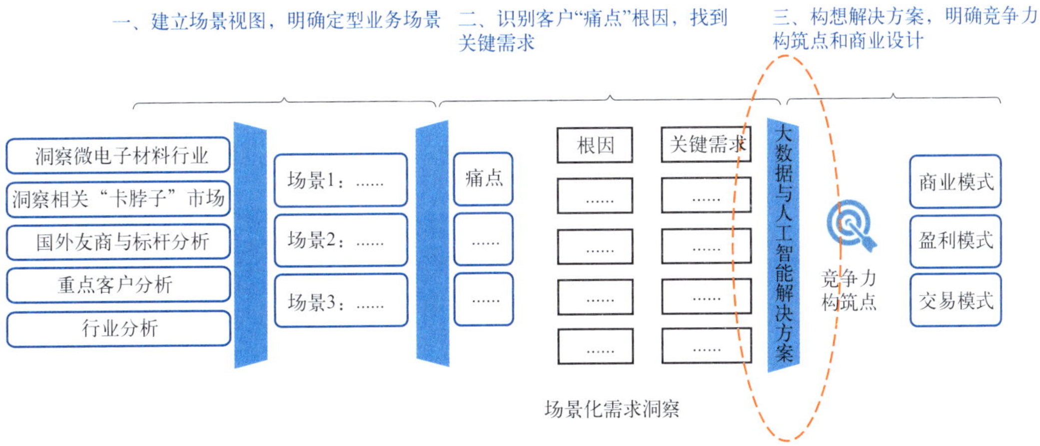

图 5-1　微电子化工材料制造发展思路

洞察微电子化工材料行业，结合国家战略需求，梳理出关键“卡脖子”材料领域，并对相关行业进行包括技术壁垒、技术发展趋势的分析，对国外友商采用的解决方案进行分析、消化和吸收，对国内头部领军企业进行识别，最终确认示范行业，并针对微电子化工材料的实验室、工程放大、量产等多个阶段的具体生产和场景优化进行梳理，梳理出具体的场景痛点，并进行解决方案分析，最终确认可以应用大数据与人工智能技术的场景与环节。针对对应的场景与环节，结合大数据与人工智能技术的实施条件和具体场景要达到的目标，组织整体解决方案。在整体解决方案的框架下，进行基础研究、试验研究和产品开发的区分，在上述三个对应的区间进行技术项点拆分，包括涉及的具体功能模块，以及支撑具体功能模块所用到的技术，如大数据与人工智能技术的关键支撑技术、面向微电子化工材料领域的基础材料数据库、面向材料设计和生产工艺设计以及设备仿真的多尺度模拟技术（通用技术和专用技术）等。

在进行大数据与人工智能驱动微电子化工材料制造落地的时候，需要以解决行业问题为导向，即所研究内容最终要经过行业确认和验证通过，实现应用需求与技术攻关的闭环，同时要打造样板示范点。鉴于上述方法是基于解决实际产业问题，因此在此过程中，不可避免地会用到行业最佳解决方案。此类解决方案中不可避免地存在国外先进技术，在这里，我们需要以国外最佳实践为模板，分解其技术方案，然后根据技术难度、攻关周期进行相关技术的拆解，并寻找相应的攻关单位，逐步对标和替代此类技术和解决方案。

5.3.2 重点任务

（1）装备层面

有序实现配套装备和智能装备的开发与替代，构建用于装备开发的共性技术平台。

微电子化工材料制造层面需要对应的装备确保工艺的实现，同时依赖于智能装备进行数据的采集和传输。以300mm大硅片生产装备为例，需要解决关键“卡脖子”问题，实现配套装备的开发和替代。300mm大硅片生产装备的开发大多基于计算模拟仿真等技术展开，除了用到的通用仿真技术外，还需要用到DOE等优化技术。因此，在进行装备开发时，重点任务主要包括以下几个。

① 梳理出包括硅材料、化合物半导体材料、第三代半导体材料（碳化硅、氮化镓等）、光刻胶、先进封装材料、化学机械研磨材料、特种气体以及湿电子化学品材料领域中被“卡脖子”的设备以及关键设备（比如光刻机、直拉单晶硅炉等）。

② 针对相关设备的智能化程度、自主可控程度、关键零部件可获取程度、相关技术项点进行分类和辨别，梳理出关键技术挑战和研发、使用、维护痛点。

③ 梳理和建立微电子化工材料行业数据采集和通信标准，并对相关标准建立统一规范化约束。

④ 针对关键“卡脖子”领域的关键装备梳理出装备攻关优先级，并建立包含企业用户、供应商、高等院校和研究机构在内的共性技术平台。

装备层面的重要目标是实现包括大硅片、先进封装材料在内的诸多微电子化工材料制造的配套装备的国产化替代。

由于微电子产业技术更新迭代快，先进的技术已经达到5nm以下的技术节点，因此在装备开发层面，需要面向不同技术节点界定装备开发的技术路线图，使装备逐步从无到有，从有到可用，从可用到可以部分替代，从部分替代到对标，再从对标到完全替代，实现100%国产化替代。

而诸如光刻机等需要集结全球创新资源、挑战度极高的装备，则暂时不应以100%国产化替代作为主要考核任务。

装备层面除了使用先进传感器等技术外，还需要结合先进过程控制等应用场景中的技术，研究软测量（虚拟量测）等技术在微电子化工材料领域的应用，为智能装备开发、大数据和人工智能应用提供数据采集基础。

（2）工艺层面

实现面向先进技术节点的工艺的开发和配套的工艺开发平台。

在微电子领域，除了占据80%半导体体量的集成电路外，还包括分立器件、OLED显示器件、功率器件、光电器件等诸多领域，这些领域包含着复杂的分类方法。所以微电子化工材料制造工艺的开发和优化需要面向不同的应用场景进行规划。

首先，无论是仿真手段、实验手段还是大数据手段均是对物理世界的建模，因此，需要构建多尺度的材料性能仿真平台。以300mm大硅片为例，需要借助第一性原理研究其热力学性质，包括杂质、掺杂、缺陷的形成；通过分子动力学研究缺陷、杂质等微观结构的动力学性质；使用相场、格子玻尔兹曼等方法研究大尺度缺陷或者晶界的迁移性质；采用宏观有限元模拟技术研究其在不同载荷条件下的力学响应。同样，在其制造过程中，需要通过多尺度仿真技术进行生产工艺开发和生产设备开发。主要分为如下几个层面：

① 宏观温度场和流体力场分布；

② 电磁场等多物理场耦合；

③ 通过微观模拟研究微观生长的轮廓等几何形貌；

④ 通过微观模拟研究缺陷、空洞等微观结构的形成与迁移或者扩散；

⑤ 通过量子化学或者第一性原理模拟化学反应机理。

实际上①中的宏观仿真依赖于化学反应机理库，因此需要通过密度泛函或者量子化学探索反应路径以寻找合适的反应物质。无论是分子材料体系还是晶体材料体系，都绕不开多尺度材料模拟技术。材料模拟技术被巴斯夫、ASML、应用材料、华为、三星、德州仪器等材料应用、开发和设备厂商应用于生产制造中。

其次，开发针对现实实验和虚拟实验的优化算法平台。由于模拟仿真大多是获得数值解而非解析解，因此很难通过逆向推导获得比较满意的输入输出关系。针对现实实验和虚拟试验，均需要通过优化算法基于初步的输入输出关系进行实验方案设计，最终对解决材料性能、工艺开发以及装备开发等问题提供相对最优解决方案。目前，大多数微电子化工材料生产厂商（陶氏、杜邦、信越化学等）采用DOE等方法进行实验设计和方案优化，类似扩充均匀设计这类昂贵的实验设计方法尚未集成到相应的软件工具中。国内的微电子化工材料生产厂商希望借助于大数据与人工智能来解决研发、制造环节中的问题，因而需要共性优化算法平台，以支撑方案设计和问题解决。例如，在工艺开发层面，可以采用CFD等多种技术进行一定数量的数据生成工作，即针对不同的工艺条件进行输入输出数据的生成，生成输入输出数据之后，进行相关的AI建模，然后验证模型，再通过模型来寻找最优解决方案。

同样，针对材料性能的预测，亦可以借助于大数据与人工智能技术（此处专指材料基因组技术或者材料信息学技术），通过高通量的材料模拟技术生成海量数据，采用机器学习来建立材料构效关系模型并验证，然后通过数据库技术进行材料性能的预测和筛选。

以CMP材料（化学机械研磨材料）为例，其不同的技术节点所对应的材料组合以及产品形式有所不同，同时对进行化学机械研磨抛光的设备也有不同要求，如图5-2所示[52]。

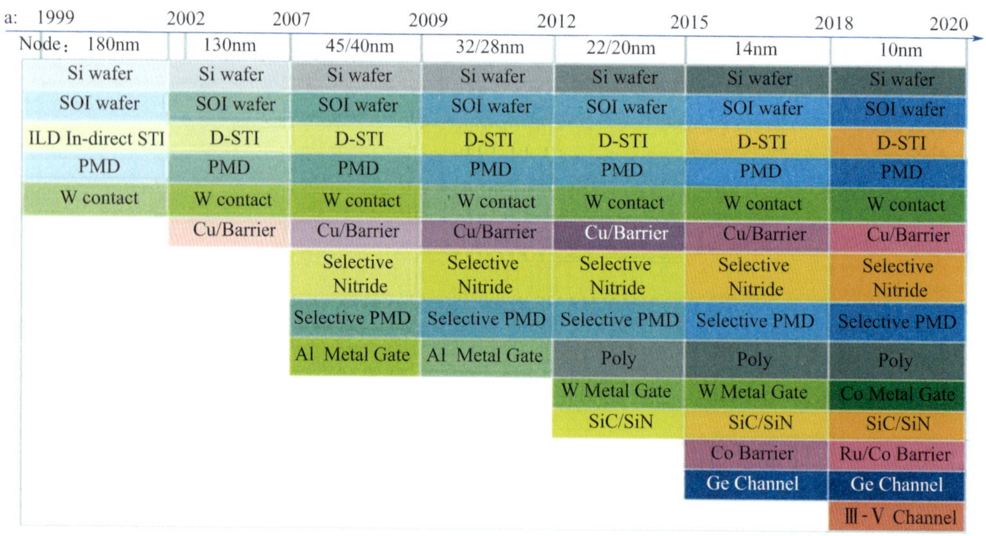

图5-2 不同技术节点CMP工艺处理的材料

综上，由于工艺开发、设备开发以及材料性质预测对多种共用技术的兼容，以及要进行行业内最佳实践的展示，因此需要针对此领域建立共性技术平台。

（3）软件层面

实现面向材料基因组、研发与生产制造各环节的工业软件的国产化替代。

微电子化工材料行业涉及材料发现、材料开发、性能优化、集成测试、中试、量产以及进入市场等诸多环节。在材料的全生命周期需要各类工业软件进行支撑，覆盖了研发设计、生产制造等诸多环节。由于工业软件是工业知识的沉淀，因此其开发难度极高，不仅技术要求高，同时需要用户使用、验证与反馈。对于不同的技术族类要考虑不同行业特殊性展开，以MES为例，在汽车制造业中多数采用西门子等公司提出的MES实施方案或者标准，而在半导体行业则以应用材料（AMAT）等公司提出的半导体解决方案为蓝本，需要区别对待。同样，CAE也存在相应的差别，以第三代半导体材料的材料生长模拟软件为例，该类软件需要能够对设备的温度场等外场进行模拟，也要能够对晶体生长的轮廓层面进行模拟。业内针对此类场景多采用如下软件：①俄罗斯STR公司的CGSim软件；②国外其他CAE软件公司的产品，包括STAR-CCM+、COMSOL、Fluent等。相对于通用CAE软件，CGSim软件有着更加专业和精确的材料生长模型，同时还有其他通用软件所不具备的化学反应机理库。

在微电子化工材料工业软件领域需要实现如下软件的国产化替代。

材料模拟层面：需要实现对美国量子化学软件Gaussian，维也纳大学的平面波软件VASP，美国Synopsys QuamtumATK，美国分子模拟软件LAMMPS、Amber，法国Material Studio Forcite，德国MICRESS，俄罗斯STR，美国ANSYS Fluent等软件的替代。

材料建模和可视化层面：微电子化工材料的设计与研究涉及具体的原子、分子细节以及界面结构，业界常用的软件有法国Material Studio、MAPS，美国MedeA，德国西门子Culgi以及中国Device Studio。在面向材料建模设计和可视化的微观层面需要开发能够对标Material Studio和VNL的国产工业软件；在宏观上主要是以下两个层面。

① 在过程仿真层面：需要实现对Aspen等过程模拟软件的替代，并且针对过程仿真实现APC与RTO、LIMS、光谱等多种数据源或者过程控制配套软件系统的开发与对接，实现整体解决方案。

② 在材料数据库层面：要实现对Materials Project、ICSD、GrantaMI等材料和分子基础物理性质数据库以及工程应用数据库的替代，实现不同数据库的兼容，定义微电子化工材料领域的数据标准，构建国家级微电子化工材料（基础物性和工程应用）数据库，并基于该数据库构建完善的大数据分析平台和应用平台。

（4）材料示范层面

面向光刻胶和大硅片以及封装材料领域实现行业示范，并确保大数据与人工智能技术的落地。

由于大数据与人工智能驱动微电子化工材料制造直接切入的是制造环节，同时，面对的又是关键“卡脖子”材料领域，因此，在关键领域要实现样本示范的功能和效果。

因此，在大数据与人工智能驱动微电子化工材料制造领域需要构建市场份额（终端用户）—材料开发商—高等院校之间的闭环。在国家发布的关键“卡脖子”材料领域要实现多种材料在商业上的闭环。

综上，大数据与人工智能驱动微电子化工材料制造要进行充分考量，构建行业生态闭环，具体如图5-3所示。

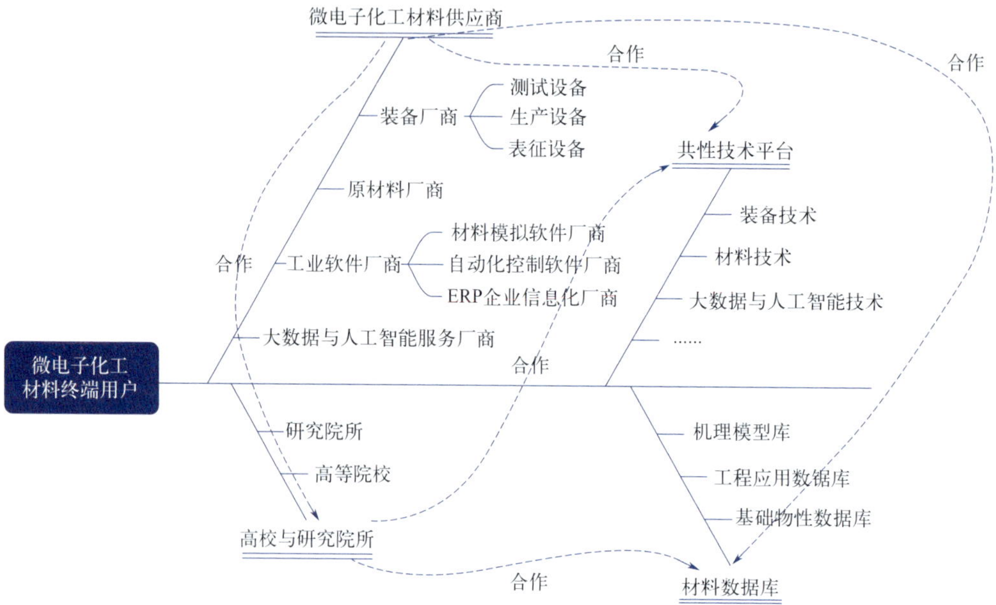

图5-3 大数据与人工智能驱动微电子化工材料制造行业生态

如图5-3所示，微电子化工材料终端用户作为最终大数据与人工智能驱动微电子化工材料制造商业闭环的见证者，需要由其提供对应的市场或者商业证明以验证通过大数据与人工智能技术的确驱动了微电子化工材料的制造。相关材料的制造不仅要依赖微电子化工材料生产商，还需要通过与高等院校等机构进行合作，最终使得大数据与人工智能技术落地。

同时，为了促进行业的发展，必须建立共性技术平台来对行业共性技术问题进行攻关和实现预研探路等目标。通过建立闭环路径，确保了大数据与人工智能技术不再沦为通用技术或者“万金油”，而是切实应用到行业之中。闭环路径降低了大数据与人工智能技术在微电子化工材料领域的应用难度，打破了以往大数据与人工智能技术缺少应用场景落地的情况，提升了技术匹配度。

由于微电子化工材料种类繁多，因此在进行示范样本选择的时候，一定要兼顾行业属性和市场属性以及技术属性。大数据与人工智能驱动微电子化工材料制造需要考虑应用场景（技术节点）、行业分类、材料全生命周期进行样本选取。

如图5-4所示，其中应用场景（技术节点）选择以集成电路技术节点（90nm、45nm、28nm、14nm、*X*nm）为度量维度，通过不同技术节点对微电子化工材料需求进行分类。

在材料全生命周期中选择了从材料发现到材料最终进入市场应用。由于目前国产材料在“卡脖子”领域面临的现状是研发能力和水平落后、制造技术落后等局面，因此单纯补充不足以发挥大数据和人工智能技术的优势，需要借助研发和制造一体化来识别关键问题，加快推动大数据建模技术的落地。本例建议将研发环节考虑进去。同时，材料仿真技术、工艺仿真技术、设备仿真技术在生产制造环节均有重要应用，因此要结合产业需求进行全方位的需求管理和问题梳理以及提出解决方案。

在示范样本的选择上，建议从行业分类角度展开。以集成电路专用材料为例，包含了硅片、晶圆等多种材料，在应用环节涉及了前道工序、中道工序以及后道工序所应用的各类材料，这些材料建议按照关键“卡脖子”、重要程度等维度进行细分。如图5-4所示，按照光刻胶、大硅片、第三代半导体、湿电子化学品以及先进封装材料等维度展开。这样能够实现单点突破，将国产微电子化工材料从低端材料逐步发展成高端材料，实现对应的国产化替代。

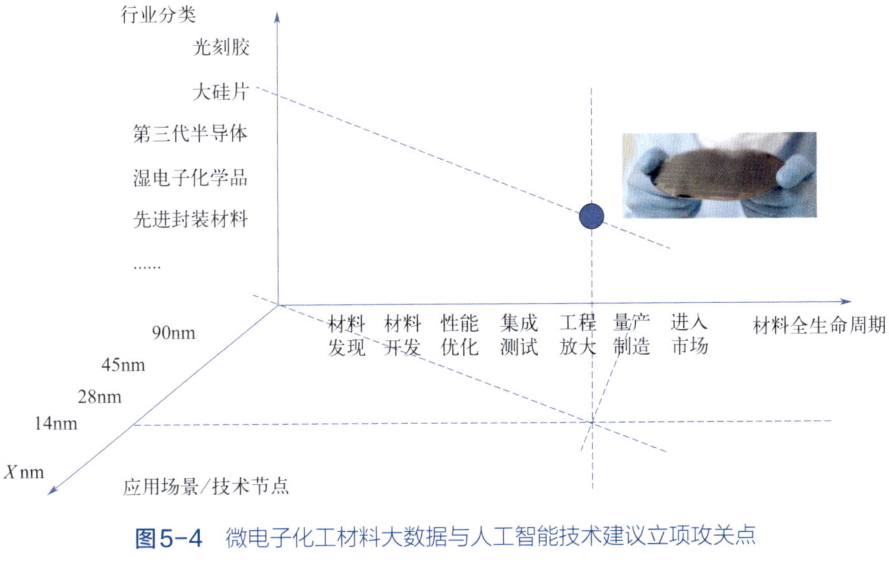

图5-4　微电子化工材料大数据与人工智能技术建议立项攻关点

5.4　亟待突破的基础理论、方法以及技术

（1）多尺度材料与工艺模拟技术

微电子化工材料覆盖范围广、门类多、型号复杂，该领域研究和生产的对象不仅仅

是原来材料科学与工程领域的单一材料，而是面向系统需求的多种材料的结合体，即从单一材料向界面以及系统的方向发展。同时，由于微电子化工材料涉及复杂的构效关系和非线性参数对应关系，因此，单纯靠实验已经很难实现材料的研发与生产，需要借助于多尺度材料与工艺模拟技术加速研发和提升质量。要将大数据与人工智能技术应用到微电子化工材料领域，需要面对数据获取问题，除了通过生产设备采集外，仿真手段是提供海量高质量数据的最佳途径。因此，微电子化工材料与工艺模拟技术需要做到如下方面的突破。

① 面向原子、分子和电子尺度，开发能够揭示物理机制以及化学反应机理的第一性原理的软件。

② 面向原子和分子尺度，开发满足不同场景的、具有准确原子和分子力场的动力学软件，用于材料微观机理和工艺机理的研究。

③ 面向颗粒、粉末、界面等介观尺度，开发基于粗粒化、耗散粒子动力学、相场、蒙特卡洛等方法的介观尺度模拟方法和理论模型。

④ 面向宏观领域，考虑复杂的网格划分等技术要求，开发满足微电子化工材料生产制造复杂环境要求的装备模拟和工艺模拟软件，主要采用计算流体力学、结构分析和电磁仿真等技术。

⑤ 由于微电子化工材料的生产制造在空间尺度和时间尺度上均覆盖了10个数量级以上，因此除了对上述的4个不同尺度的基础理论和技术进行突破外，还需要构建不同尺度之间的参数传递、边界耦合等多尺度耦合技术。

⑥ 由于在微电子化工材料生产过程中涉及电、磁、温度、光等诸多外场的影响，因此需要在多物理场仿真等维度进行新模型和新算法的开发。

以300mm大硅片生产为例，其生产制造过程中对于杂质、缺陷等均有严格的要求，杂质与缺陷的调控对硅片质量的影响至关重要。在硅片制造过程中，不仅需要通过传统CFD技术和电磁仿真技术对直拉单晶硅炉子的温度场和电磁场进行模拟分析，也需要考虑缺陷和杂质的形成与扩散等多种微观过程，而微观过程涉及电子、原子、晶格等多种尺度的物理化学问题和机制。以缺陷为例，涉及电子层面，而传统的用于缺陷扩散和迁移的相场理论未能考虑电子层面的影响。尽管目前有不少研究机构进行了晶体相场方法的开发，但是还未成熟。另外，CFD等技术过于通用化，因此需要针对专门的晶体生长等工艺过程开发对应的材料生长建模工业软件。

在微电子化工材料领域，既需要通用的多尺度材料与工艺仿真软件，同样也需要针对专用场景（工艺、设备）的多尺度材料与工艺仿真软件。

（2）材料、工艺与设备的优化算法

微电子化工材料的生产制造过程涉及人、机、料、法、环、测等多个环节，其外界影响因素众多，同时变量极多，通过仿真模拟、数据建模等方式实现的是用模型描述物理世界，然而在生产制造过程中需要面向客户需求以及研发与制造需求进行方案的变换以及各种方案的比较与寻优。CAE、材料模拟、实验设计、过程控制等方面均需要用到优化算法。

以CAE用于装备和工艺开发为例，需要在设置相应的约束条件和目标结果之间选择合适的优化算法，用尽量少的虚拟仿真实验来获得最优的工艺和装备设计参数。然而由于CAE仿真对CAE软件、算力和输入的材料参数以及机理模型均有较高的技术要求，因此需要发展满足虚拟仿真实验要求的优化算法。

以DOE（实验设计）为例，目前微电子化工材料领域常用的DOE软件主要是SAS公司的JMP软件以及Minitab软件。这些软件中采用的多为传统DOE通用的优化算法，很难满足国内微电子化工材料行业在资源和时间均有限的情况下实现更省钱、更少时间的实验设计的需求。

（3）先进测量、感知与表征技术

传统的质量管理方法主要是对人、机、料、法、环、测等环节进行统计分析和过程控制。在大数据和人工智能驱动微电子化工材料制造领域，需要海量的、高质量的生产和研发数据。微电子化工材料涉及从微观到宏观等横跨10个数量级的空间尺度、复杂的构效关系以及对工艺过程的精细控制，要求能够通过设备及时感知、测量和表征相关变量。随着AIoT等技术的涌现，传感技术也在不断发展，借助先进传感技术获取对应目标参量的数据是目前推动大数据技术在微电子化工材料制造领域应用的重点方向。

（4）大数据与人工智能技术和机理建模技术

大数据与人工智能驱动微电子化工材料制造，依赖机理模型实现流程型智能制造中最受关注的八大领域。这八大领域分别是工艺优化、智能控制、生产调度、物料平衡、设备运维、质量检验、能源管控以及安全环保。上述领域结合物理化学模型、领域知识以及大数据技术进行机理建模，可实现覆盖描述、诊断、预测、自决策等功能的全方位的智能制造目标。微电子化工材料制造过程中会产生海量数据，因此，急需建立面向该领域的大数据采集、大数据分析、大数据存储、时序数据库等技术。

5.5 发展策略与路线图

5.5.1 发展策略

采用大数据与人工智能等技术驱动微电子化工材料的制造是行业发展的必然趋势，但是除了涉及产业知识、行业经验、数据质量、机理模型、控制技术、数据采集技术等诸多方面外，国内外之间的竞争等因素对于前述技术和解决方案在微电子化工材料制造领域的落地会产生巨大的影响。因此，在进行大数据和人工智能技术驱动微电子化工材料制造业升级以及构建自主可控的产业链使能平台、支撑平台时，需要考虑产业需求和自主可控两大核心要素。基于对两大要的考量，大数据和人工智能驱动微电子化工材料制造的发展策略如图5-5所示。

根据图5-5，大数据和人工智能驱动微电子化工材料制造需要以国家战略需求和微电子产业需求为攻关方向和应用方向，注重微电子产业需求和技术的闭环。切实分析在微电子化工材料领域存在的问题与挑战，对微电子产业需求进行梳理和分析，实现端到端的闭环，即从微电子产业、企业、市场需求出发，构建“市场需求—需求定义—系统设计—开发—测试—技术研发”技术攻关闭环。

针对微电子产业需求确立大数据驱动微电子化工材料制造发展目标，对相应创新目标进行分解，以解决微电子产业需求和实现自主可控为目的，进行大数据和人工智能技术的自主创新。对相关技术进行分解，并进行全方位、多维度、跨领域的“地毯式扫描”，实现对存量技术的全面覆盖，并与迫切需要的技术进行比对。进行产学研合作，实现原创新技术的攻关和突破。对于原创新技术，需要制定详细的攻关目标和计划，并对创新和攻关的成果进行合理的分配和转化，切实保障参与方的利益。对于非原创技术进行分类，辨别企业自有/自主可控技术、不可获得技术、不被授权技术等。结合产业需求和技术现状盘点，通过合作协同或者独立创新以及集成创新等方式实现大数据和人工智能驱动微电子化工材料制造的落地。在发展策略中需要切实保障技术闭环，即应用方、需求方、技术整合方、单项技术攻关方以及政府等各单位的有序参与和目标对齐。

针对大数据和人工智能驱动微电子化工材料制造技术以及解决方案的落地，建议按照应用先行—成果示范—逐步替代方式展开，即先解决产业需求问题，再逐步对其中涉及的不可控技术进行技术分解，逐步实现国产化替代，最终实现完成国家战略目标产业繁荣、技术和产品自主可控的目标。

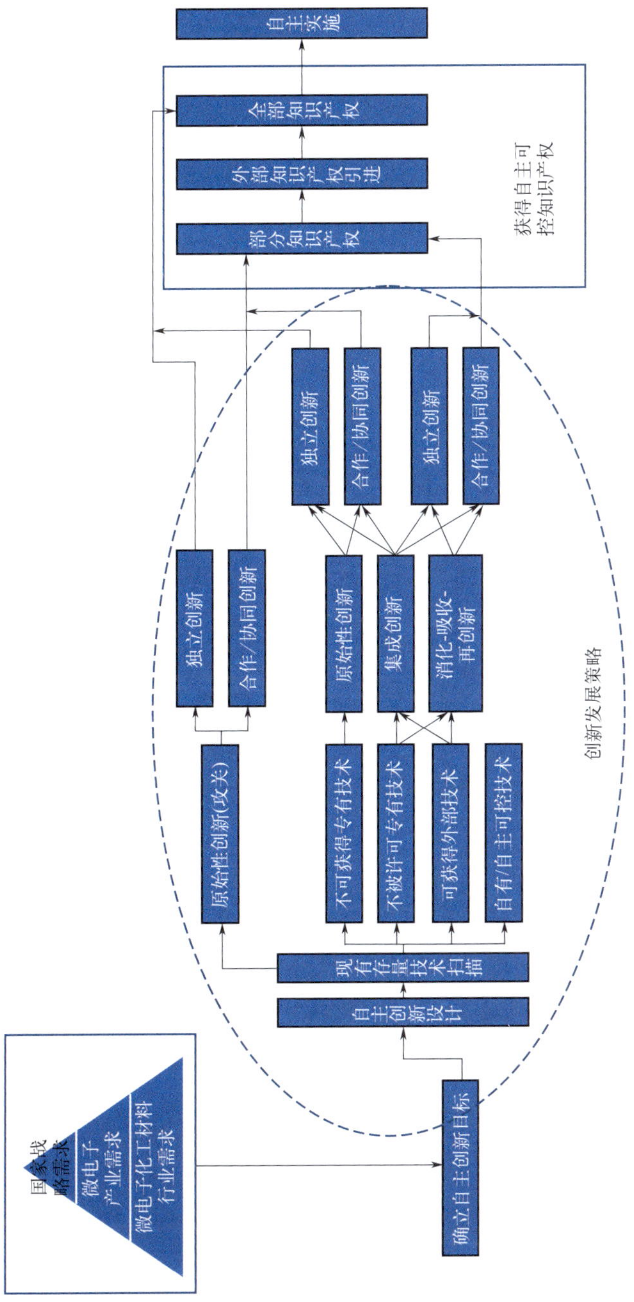

图5-5　大数据和人工智能驱动微电子化工材料制造发展策略

5.5.2 发展路线图

（1）近景路线规划

针对大数据与人工智能驱动微电子化工材料制造这一课题，建议将其分为近期、中期和远期三个阶段展开。其中，近期着重将相关技术逐步渗入行业中，并选取有价值的企业进行合作。中期着重在已有成果上进一步考虑国产化替代事宜，远期则是既要实现微电子化工材料的国产化替代，也要实现大数据与人工智能技术在微电子化工材料领域的落地和配套技术的落地，形成自主知识产权，确保微电子产业的安全和核心竞争力。

如表5-1所示，近景路线规划主要集中在利用大数据与人工智能技术解决企业问题，通过近期目标实现国内在材料大数据和材料模拟工业软件的初步国产化替代，集合国内优势技术做扎实和做强。

在多尺度材料仿真平台方面，主要是开发多尺度材料仿真通用技术，在通用技术的基础之上开发包括第一性原理、分子动力学、相场等功能的通用软件；由于材料数字化制造过程会产生海量的数据，要实现材料全生命周期的数据闭环，则需要开发自动化的流程工作引擎等。

在多尺度工艺和装备仿真平台层面，由于相关的CAE软件在微电子化工材料领域的技术壁垒比较高，因此先以解决企业需求为导向，构建整体解决方案，并在其中有针对性地植入国产自主知识产权软件。

在先进量测、表征和分析平台以及智能装备层面的考量是基于实际情况，先初步实现对材料生产过程中各类数据的采集。

在数字化制造过程中，要考虑到国内微电子化工材料生产厂商的自动化、信息化以及数字化水平，逐步实现数字化，并利用大数据与人工智能技术分批次和分重点使国内厂商的生产达到智能化程度。

在示范企业的选择上，建议选择行业内具有进取心且有一定技术基础和行业影响力的企业。

（2）远景路线规划

材料的研发历程漫长，业界对在20世纪发现并进入市场的材料的生命周期做过研究，平均需要10～20年的时间，材料方能从研发阶段进入到市场。在大数据与人工智能技术驱动微电子化工材料制造领域，远景路线规划是最终在商业层面实现研发和生产的闭环。只有商业系统才能验证技术的可行性和完成性。因此，在远景路线规划层面，建议将商业指标归入远景路线规划中，包括示范材料领域的国产自给率（高端材料自给率40%，中低端自给率70%），10个示范行业以及每个行业的3家示范单位也归入远景路线规划中。

表5-1 微电子化工材料近景路线规划

目标	近期	中期	远期
多尺度材料仿真平台	开发用于微电子化工材料和微电子器件本身的共享且可互操作的数据基础架构接口，可涵盖材料开发周期中所有领域的数据；自动化工作流程，用于识别不同时间尺度下传递的相关特征/参数；构建基于不确定性的微电子化工材料制造的数据驱动模型和物理模型。多尺度材料仿真通用软件技术平台的构建和工业软件的国产化替代	在多尺度材料仿真平台上实现微电子化工材料多尺度多种类材料基因组平台的构建，能够集成计算建模、自主合成机器人（智能装备）技术和材料表征，展示微电子化工材料的逆设计过程，在发现、预测和制造过程中直接整合来自嵌入式传感器的数据。优化算法的开发主要用于仿真模拟实验设计	在微电子化工材料多尺度材料仿真平台和基因组平台上建立完全自主的开发过程；集成材料级测试和设备级测试；包含材料发现过程中的可制造性和可回收性数据；展示材料开发周期的X倍加速；实施并验证用于微电子化工材料超高通量测试的数字技术；开发面向微电子化工材料的产业级材料数据库和数据库技术
多尺度工艺和装备仿真平台	建立集成了国外工业软件的微电子化工材料多尺度工艺和设备仿真平台，并实现其对生产制造和研发的指导；部分集成国内优秀软件，进行集成方案的消化、吸收、验证以及实施	依靠国内产学研优势，集中发力，实现国产多尺度工艺和装备仿真软件在微观层面的国产化替代和领先	在多尺度材料仿真平台上和近期与中期规划中，细分技术项点，与微电子化工材料生产企业合作完成模型开发—软件开发—模型验证闭环开发，同时实现微电子化工材料领域专用多尺度和装备仿真平台的国产化替代
先进量测、表征和分析平台以及智能装备	在材料微观和宏观层面上，依靠各种传感技术和简单的集成开发非侵入式多传感方法，为评估微电子化工材料的热力学和动力学性质、材料结构变化的相关性提供可行性。监测材料生产制造期间关键参数的正常或者异常情况，并定义从传感器到设备的传递函数	实现材料制造过程稳定传感技术的微型化和集成，以经济有效的方式与工业制造过程兼容；利用传感数据实现微电子化工材料智能装备，构建新的自适应和预测控制算法、机理模型	依靠先进的传感技术和智能控制技术，以及通信和AI技术；使得智能装备能够根据现场情况进行自适应控制。实现大硅片、CMP等多种材料的生产配套设备的国产化替代
微电子化工材料的数字化过程	将信息和通信技术（大数据、AI、模拟仿真）应用到材料的设计和改性上，实现材料性能的优化和智能化设计	不断发展多尺度材料和工艺仿真平台、智能传感技术和其他创新领域的技术并整合到流程中；在材料设计取得进展之后，将启动并实施基于AI的制造方法，即建模→AI→制造（包括新技术的开发以及制造过程中的数字化模型）。规模也可扩大到材料制造过程中的技术，可扩展到材料化学成分和配方以及工艺开发	将整个AI驱动的方法集成并整合在微电子器件和产品中，实现基于材料大数据和多尺度仿真以及智能装备的完全自主系统，利用这种方法促进学术界和工业界开发可商业化的最新的微电子化工材料制造技术，实现面向产业级微电子化工材料工艺过程的机理模型数据库
微电子化工材料示范企业	针对10种（10个范示行业）微电子化工“卡脖子”材料，每一种选择2家企业进行大数据与人工智能驱动微电子化工材料制造示范，共计20家。其中2～3家进行高端材料开发，其余进行中高端材料开发，以实现从0到1的突破	每个行业挑选1家企业，进行大数据与人工智能驱动微电子化工材料制造近期成果转移和验证	融合多尺度材料与工艺仿真软件、材料和机理模型数据库、智能装备、先进过程控制软件，实现微电子化工材料自给率目标：高端自给率40%，中低端自给率70%

大数据与人工智能赋能化工新材料制造战略研究

Strategic Study on Big Data and
AI Empowerment for Intelligent Manufacturing for
Advanced Chemical Materials

第6章　人工智能驱动纳米化工材料制造的发展战略

纳米化工材料是支撑新能源、生物医药、电子信息等战略产业的“微观功能核心”，其尺寸精度、晶面取向与分散性直接决定终端器件性能上限，是我国材料产业从“中低端量产”向“高精尖突破”的关键，也是全球技术竞争的战略焦点。当前发展面临产业、研发、技术三个维度的突出短板：产业端，70%企业规模小、附加值低，高端产品（如超高长径比碳纳米管）依赖进口；研发端，依赖“经验试错法”，缺乏高通量平台，实验室到产业化周期长达5～10年；技术端，跨尺度建模能力弱，纳米颗粒团聚等参数无实时表征手段，核心计算软件与数据库受制于人。

人工智能成为破局的核心引擎。本章聚焦“AI推动纳米材料智能化与高端化”。在剖析全球态势与典型案例、明确需求短板的基础上，确立研发、制造、设备智能化分阶段目标与重点任务；深入探讨纳米结构设计、反应器优化等关键技术瓶颈；最终规划“近景建平台–远景建数字工厂”的发展策略与路线图，为纳米材料产业化升级与高端化突破提供系统指引。

6.1 典型案例与需求分析

纳米材料的制造已成为新材料开发和应用必不可少的重要分支领域，随着数字化和信息化技术的发展，制造工艺向自动化、数字化、智能化等方向迅速发展。纳米材料制造技术是随着纳米材料理论研究、纳米材料表征、纳米材料应用的发展而兴起的综合性加工技术，需要多个学科的先进技术，如现代机械学、电子信息学、光学、计算机学等的技术，以获得高精度控制和检测，改善产品性能和可靠性。纳米材料制造的智能化是纳米材料发展的技术支撑，从民用产品到国防装备都涉及纳米材料加工，世界上许多国家投入了大量的人力和物力进行纳米技术的研究和开发。现今，纳米材料制造的智能化水平已成为衡量一个国家科学技术发展水平的重要标志。

6.1.1 纳米材料智能制造发展态势

随着全球工业4.0进程的加快，基于大数据和人工智能的计算科学正与纳米技术的研究紧密联合。人工智能范式被应用于纳米领域的研究是因为纳米技术受到工作规模的物理限制，如何正确、精准地表征纳米尺度的系统成为一个难题，从而影响了制造的精度和最终纳米材料的质量。智能制造纳米材料是制造自动化的发展方向，是人工智能与数字化制造的紧密结合。利用计算机对制造过程进行建模、仿真、预测，同时对制造系统实施监测与控制，根据实际工况自动选择合适的制造参数，获得最优的制造效果。智能制造技术包括以下方面。

（1）制造过程中的仿真与优化

通过如三维实体计算机辅助设计（computer aided design，CAD）模型仿真，优化选取对材料制造质量影响较大的各项参数，如制造工艺、温度、紧急速度等，生成合理的控制指令，从而指导制造。计算机辅助制造可以大大减小高温、高压、高危险性等局限性，在能高效、系统地考察工艺参数对制造过程影响的同时还获得了大量基础数据，为基于大数据的智能制造提供充足数据。

（2）高精度测量技术

纳米级的测量技术对监测制造过程有着极为重要的作用，包括高精度传感技术和光干涉测量技术等，涉及对纳米级精度的尺寸和位移的测量、纳米级表面的形貌的测量。通过人工智能对例如傅里叶曲线的高精度拟合，可以将更多的传感器信号转化为更准确的测量数值或图像。

（3）过程监测与误差补偿

借助传感、远程监控、故障诊断等技术，实时监测制造过程并进行调整，同时对制造中的误差进行补偿。先进的在线监测技术和可视化监控技术的发展，加强了材料制造与成型过程的把控，提高了最终产品的生产效率和良品率。

美国2021年NNI战略计划旨在研究纳米尺度的系统、结构、过程和相对应的机理，结合量子力学、生物学，将纳米材料和设计与材料基因组计划协同，研究新型纳米材料。日本将纳米技术放在“第3期科学技术基本计划”的四大优先研发领域之中，将纳米技术作为日本经济复兴的关键，更加强调纳米技术在基础性和实用性上的研发，重点研究纳米材料制造技术、先进量子测量工艺、基于仿真技术的新性能发现和纳米材料在电子、能源、生物领域的应用。欧盟的“欧洲先进工程材料与技术平台”将纳米材料领域视为最优先发展的领域，将13亿欧元专门应用于纳米技术、纳米科学和以理论为基础的多功能纳米材料生产工艺和设备的研究，使用计算机模拟技术，完善了纳米材料的理论基础。人工智能（AI）、机器学习（ML）和数据管理的广泛应用可以让研究者快速地探索并开发新材料，从而将新材料市场化的时间从几十年缩短至几年，并以更优秀的综合性能完成材料的迭代。加拿大初创公司Matelligence的基于计算机模拟和AI驱动的平台，为材料制造企业加速筛选具有特定性能的材料。此平台利用大数据管理和AI决策，以便利的交互界面来简化研究者的周期性重复工作，现在已经应用于纳米电子制造、纳米清洁能源等领域。纳米技术与人工智能的结合开创了可编辑属性的智能材料，这些材料能对外部因素做出反馈，比如形状记忆、热致变色等特征。英国Sorex Seneors公司利用纳米技术与人工神经网络，在硅晶片上开发了高灵敏度微机电传感器。该公司利用声学谐振器技术，将压电效应应用在飞秒尺度的温度和质量检测中。利用纳米材料制备的小尺寸器件可以准确地响应外部刺激，已应用于一些气体和颗粒物的检测。对纳米材料第一性原理等计算的仿真，可以发掘纳米材料的特性，精准掌握纳米纤维、纳米管、量子点和其他纳米结构的特性，从而在原材料上增强工业产品的性能。新加坡Nanolomi公司通过对不同钙钛矿材料的计算仿真，使用不含镉的钙钛矿纳米晶体实现了广泛的光谱覆盖、更加纯净的色彩和大批量生产的稳定性，克服了传统量子点显示器的技术弱点，并推出了绿色光学膜Chameleon G，其有望成为下一代Mini LED显示器的基础材料。

进入21世纪，随着投入资金不断增加，纳米材料应用产业兴起，我国纳米材料产业进入稳定、健康的发展阶段。我国纳米材料领域的企业的技术水平相对落后，虽然企业数量众多，现有与纳米科技相关的企业已达700余家，但是大部分企业的规模小于100人，主要从事较低端的纳米粉体或初级产品的制备，产品附加值较低；大部分企业还处于实验室研发阶段，仅有少数的企业实现了产业化生产。目前国内规模较大的纳米应用产品主要集中在纳米粉体材料及其相关产品，而纳米生物材料、纳米电子材料及器件、纳米医疗诊断等高端领域产业化规模还很小，主要处于基础研究或实验室应用研发阶段，暂无将人工智能应用在纳米材料研发及生产上的实例。广东粤港澳大湾区国家纳米研究院持续开展纳米前沿技术、核心技术、应用产品及创新成果转化等工作，着力填补纳米领域内基础研究与技术应用的鸿沟。正着手构建完整的纳米材料领域的数据交汇，涵盖纳米数据从生产、加工、管理到应用的纳米大数据服务链，打破产、学、研之间的信息交互瓶颈[57]。为纳米领域的基础研究和产品研发提供双向数据接口，支撑数据驱动的基础研发和产品研发，着力于对接工业大数据，助力传统纳米行业向高技术行业转型，提高我国纳米行业产品的附加值，扩大高端纳米产品产业化规模。

6.1.2 典型案例

在化工材料领域数学和实验一直是研究者依赖的两个主要工具。在计算机分子模拟发展过程中，特别是随着现代高性能计算机的出现和发展，人们可以对纳米材料的微观本质进行探讨，发现并解释一些实验现象和规律，也可以进行纳米材料制备和纳米化工实际应用，比如相平衡、吸附、扩散、反应行为等。建立在计算机模拟基础上的机器学习可以大幅提高模拟效率，得到更精准的数学关联式并预测纳米材料的性能。

在相当长的一段时间内，我国自主研发的软件和算法都是经验或半经验模型，以宏观测量结果为依据，只适于数据内插，当超出回归参数采用的条件范围时所得到的结果可靠性会大幅降低。而基于第一性原理、量子化学、分子动力学的主流软件，如VASP、Gaussian、LAMMPS等都是由国外课题组或企业开发的。可喜的是，目前，我国化工材料领域的学者在纳米催化、MOF/COF、离子液等界面和受限体系方面的模拟算法和软件的开发上取得了一些有代表性的进展。北京化工大学团队建立了一种命名为“特征结构基因（CSG）”的材料大数据搜索算法，提出了“基于键连接性的原子贡献法（CBAC）”、模仿纳米材料生长的“似反应连接组装算法（QReaxAA）”，有效地解决了电荷快速计算的难题，使得大规模材料计算筛选成为可能，促进了纳米材料新结构的定向合成；编制了“复杂体系吸附与扩散性质模拟软件”（MGPNM 软件）和高通量版的材料性能模拟软件（HT-CADSS软件），实现了纳米材料的自动化批量计算，形成了较为完整的多孔纳米材料基因组学设计平台。此平台的建设引领了一种崭新的材料研发模式，重点是对纳米材料相关性能进行数据挖掘，首要挑战在于融合高通量计算技术，基于材料基因组理念构筑出具有丰富拓扑类型和孔道化学性质的庞大结构空间，以便识别最佳可能材料的思想为研究人员提供理论指导，从而达到提高新材料研发效率和降低人力物力成本的目标。针对纳米催化剂界面及限域空间的活化及传递扩散问题，浙江工业大学研究团队提出了纳米催化剂抽象模型化、模型解耦耦合化的创新思路，采用热力学、动力学分析，密度泛函计算，微观动力学模拟及统计平均相结合的方法，建立了从活性位到纳米粒子的多尺度模拟方法，实现了纳米金属催化剂粒度的精准调控。目前该方法在不同金属和不同反应中成功应用，计算方法的可靠性被实验进一步验证，并在卤代硝基苯加氢反应中实现了工业应用。此外，该工作不仅为高通量研究用纳米材料的构筑提供了有用的算法，还可以为基于材料基因组学进行工业用新材料的开发给予基本模板，有助于企业研发模式的变革。

6.1.3　需求分析

从全球范围来看，无论主要经济体还是科技界甚至产业界均达成共识——纳米技术将引领科学技术的划时代飞跃，并将带来巨大的产业变革。纳米技术的进一步发展有可能引发全球科技竞争格局的重大变革，谁拥有了纳米关键技术、掌握了核心纳米材料、实现了纳米材料大规模产业化与应用，谁就拥有了具备核心竞争力的优势。为了促进纳米技术的高端化发展和向产业化转移，世界上主要的纳米技术大国一方面延续政府主导的政策，持续加强对纳米技术的投入，另一方面开始不断加快纳米技术产业化和应用的步伐。具体到企业层面，大型材料跨国公司已将下一代产品的竞争重心定位在先进的纳米技术上，中小型企业则在各自领域精细化发展，呈现出社会投入远多于政府投入的新特点。

国家纳米科学中心报道，2007 年以后，我国纳米科技产品的开发和应用呈现出多元化、规模化的特点，以纳米材料和纳米技术注册的公司达到了 2000 多家，建立了纳米复合塑料、橡胶和纤维改性以及纳米功能复合材料等生产线 100 多条；纳米材料在能源和环保等领域的应用已形成了比较可观的规模；纳米技术在电子信息和生物医药等方面也开始了产业化。尽管在《“十三五”材料领域科技创新专项规划》和“中国制造 2025”的指引下我国纳米科技“官、产、学、研、用”一体化融合模式近年来取得了很大进步，但同时也面临着一系列亟待解决的问题，这些问题都与我国纳米科技企业的特点有直接关系。

（1）重点纳米材料基础技术落后与产品急需升级

目前，国内与纳米技术相关的大部分企业的员工规模小于 100 人，仍然以从事较低端的纳米粉体或初级产品制备为主，以纳米碳酸钙粉体为例，国外企业依靠强大的研发能力、稳定可靠的产品质量、精密的仪器和良好的品牌信誉，占据了国际上大部分高端市场，价格普遍比国内同类产品高2～3倍。目前国际上中低端纳米碳酸钙市场几乎全被国内企业占据；而在附加值较高的高端纳米材料领域，如高导电石墨烯、超高长径比碳纳米管等，我国距离产业化还有较大距离，大部分企业还在和高校联合研发，仍处于实验室基础研究阶段。另外，大部分企业的资产规模相对较小，有90%左右的企业注册资本在5000万元以下，65%左右的企业注册资本在1000万元以下，这说明尚属初创期的企业占大多数，由于资金短缺使技术成果无法转化或中途停止的情况十分普遍。基于上述的企业情况，当前我国纳米科技企业需关注的重点应该是：注重从技术研究到应用研究，更加注重学科交叉和技术集成；关注发展纳米材料与技术以改造传统产品，提高产品技术含量；强调纳米材料与技术在环境、能源和信息等领域的应用，实现跨越式发展。

（2）战略性先进纳米材料的应用集成及成套设备不够完善

在新材料技术方面，为了满足“中国制造2025”和战略性新兴产业创新发展的需求，为我国参与新一轮产业变革与竞争提供支撑，实现我国材料产业由大变强、材料技术由跟跑向并行和领跑转变，纳米材料的发展将以第三代半导体材料、新型显示材料为方向，高端光电子与微电子材料为重点。着力解决纳米复合先进结构材料设计、制备与工程应用的重要科学技术问题，着力研究轻质高强、材料表面工程技术等。研究新一代纳米智能材料、纳米生物医用材料、纳米能源材料与器件、纳米环境材料、重大装备与工程用特种纳米功能材料的基础科学问题及产业化、应用集成关键技术和高效成套装备技术，突破纳米材料宏量制备与加工的关键技术和标准，加强示范应用。

（3）纳米材料基因工程关键技术与支撑平台处于起步阶段

构建纳米材料高通量计算、高通量实验和专用数据库三大平台，研发跨尺度多层级设计、高通量制备、高通量表征与服役评价、材料数据库四大关键技术，实现纳米新材料研发由“经验指导实验”模式转向“理论预测、实验验证”新模式，实现纳米新材料研发周期缩短一半、研发成本减少一半的目标[58]。人工智能方法以数据驱动的模型替代了传统研究中的力学模型，其直接由高维高通量数据建立变量间的复杂关系，捕捉传统力学研究方法难以发现的规律，在复杂系统的分析、预测、优化方面拥有与生俱来的优势。与此同时，计算机科学也可以从纳米材料、纳米仪器和纳米计算能力的发展中受益，二者存在双向交互关系。通过大数据和人工智能技术来寻求纳米材料传统研究方法所面临的难题的新的解决方案，已逐步成为纳米材料研究领域的发展趋势。

（4）纳米技术公共研发平台少，自主创新能力弱

在企业研发方面，目前我国纳米材料市场参与者众多，纳米技术企业平均科研人员占员工总数比例超过5%，说明我国纳米材料的科技含量较高。但市场分散、纳米技术本身存在的技术壁垒和企业资金限制，使我国企业几乎都专注于特定的纳米材料领域，

比如碳纳米管赛道的天奈科技、石墨烯赛道的第六元素等，甚少出现像德国巴斯夫、美国陶氏和日本东丽这类巨型材料全品类公司。纳米技术作为一种平台型技术，基础研究的突破可以为未来所有工业产业的发展提供技术支撑。所以，可以依托大数据平台，联合我国大型城市群的企业，适当结合高等院校、纳米研究院等科研机构现有的实验条件和科研资源，建立纳米共性技术研发平台，开展纳米技术安全评价、纳米技术检测研究、纳米技术标准制定等工作，开展纳米材料领域的产学研联合攻关，突破一批产业化关键技术，为我国纳米科技的发展提供共性技术支撑和服务。

6.2　发展目标

当前，以新一代信息和通信、新能源、智能制造等技术为代表的新兴产业快速发展，对纳米材料提出了更高要求，如纯度、结构控制、缺陷、晶面等。同时，大数据和人工智能技术的快速发展为高端纳米化工材料的智能制造带来了重要机遇。纳米材料智能制造的具体目标如下。

① 研发智能化：材料设计的优化，提升研发效率。

纳米材料领域将围绕传统纳米材料的提升和新型纳米材料的研发，着力解决我国纳米材料产业面临的重大共性问题，从核心纳米材料的设计上突破，建立相对完备的知识产权和标准体系。材料基因工程将构建支撑我国纳米材料研究和协同创新发展的高通量计算、高通量合成与表征和专用纳米材料数据库三大示范平台，研发材料高通量计算方法、高通量制备技术、高通量表征和服役评价技术、面向材料基因工程的材料大数据技术，在纳米能源材料等“卡脖子”纳米材料上开展验证性示范应用，验证研发技术的先进性和适用性，并实现突破。

② 制造智能化：生长过程跨尺度建模优化，提升对纳米材料结构的精准控制。

跨尺度模拟作为材料基因组的核心组成，往往和材料性能相互关联。在化工过程的多尺度中，物质转化的基本层次不单单是原子、分子，还会涉及工业设备甚至整个工厂和环境之间的不同尺度的化学和物理过程。纳米材料的微观尺度往往和第一性原理有关，在这一尺度上分子间的作用力起到了重要作用，表现出一些特别的物理化学性质。颗粒、气泡和液滴尺度是非均相反应的一个重要尺度，分子的扩散和物质对流在反应中起到了决定性作用，化学反应往往发生在纳米颗粒的表面。设备尺度是指制造装备的边界条件，其对反应物的空间分布有影响，同时工艺参数对纳米材料制备过程的影响也体现在这一层面。

③ 设备智能化：制造装备的智能化，提升对生产过程自动控制的精度。

设备智能化主要取决于对纳米材料制备过程的监测和对设备的自动化控制。随着对纳米材料形貌观察精度和相关定向传感器测量精度的提高，对制备过程数据的收集也日趋完善、准确。在微电路和高性能芯片集成技术的支持下，嵌入多套功能丰富的软件可实现在快速重复测量的基础上对数据进行合理的计算，在进一步提升测量精度的同时提高操作效率。设备智能化能对纳米材料制备过程进行精细的记录，为后续建立科学统一的数据模型提供大量的原始基础数据，可以用于新材料设计，最终实现高效高质量的产业化生产。

④ 生产智能化：多模型融合建立数字孪生系统，确保生产的安全与稳定。

数字化智能工厂是大数据时代管理生产的现代化技术，实现工厂的生产、管理和办公自动化，以达到提高企业生产效率、进行安全生产、减少工作失误、提供决策参考等目的。多模型融合的数字化智能工厂不单单是设备层面的监测和生产过程的自动化，还是一个柔性的系统。基于人工智能，数字化孪生系统能够自行优化整个网络的表现，自行适应并实时或近实时学习新的环境条件，自动运行整个生产流程，以确保产品质量及企业效益。

6.3 发展思路与重点任务

纳米材料行业向绿色化、精细化、快速化方向发展，特别是以基因工程为代表的材料设计新方法的出现，大幅缩减了纳米材料的研发周期和研发成本，加速了纳米材料的产业化进程。物联网、人工智能、云计算等新一代信息和通信技术和传统互联网技术的结合，以及新型感知技术和智能化技术的应用，推动纳米材料研发不断加快。目前，纳米材料领域的发展思路和重点任务如下。

6.3.1 发展思路

（1）建立纳米材料性能筛选机制

目前的材料研究仍是在经验指导下、大量实验尝试的基础上的“试错法”，这耗费了大量的时间、人力、物力和财力，没有海量的纳米材料数据库，某些具体材料的数据库也甚少被研究者使用。纳米材料从设计到合成的预测模型的建立有助于指导新材料的发现和材料的改性。目前，这种训练有素的机器学习方法已经通过定义数据集的方式准确预测了纳米药物、纳米催化剂、纳米能源材料的性能，由数据生成的工具“巨库”极大地扩展了研究人员的工作，每个“巨库”中都包含了数以百万甚至上亿的纳米结构，每一个纳米结构的形状、组成都略有不同。而这些纳米材料数据仅需要少量的存储结构，方便了数据的传输、交换、更改、再添加。

类比于人类基因的四种碱基排列组合的表示方法，材料基因组中数据的内容包括元素周期表中任何可用元素的纳米粒子结构的组合，以及形态、大小、相形态、晶体结构等参数；以大数据的形式构建了以不同性质分类的纳米粒子子集[59]，纳米粒子子集构建得越完善、种类越多，大数据就越接近完成材料基因组的完整图谱。基于人工智能的机器学习应用程序非常适合定义纳米材料、挖掘材料参数背后的联系和总结材料基因组的复杂性，但会受限于创建数据集的数量以及在空间中训练算法的能力，无法得到准确和全面的数学模型。需要更全面的数据库和先进的神经网络模型共同协助，完成纳米材料的筛选和预测合成的任务。

（2）纳米材料的智能合成与制备

纳米材料多是晶粒尺寸小于100nm的单晶体或多晶体，由于晶粒细小，其晶界上的原子数多于晶粒内部，即产生了高浓度晶界，因此纳米材料才会有如此多不同于一般粗晶材料的性能，如强度硬度大、密度低、弹性模量低等。新的纳米材料制备工艺和合成过程的研究对控制纳米材料的微观结构和性能具有重要的影响。纳米材料的合成与制备包括纳米粉体、块体及薄膜材料的制备。计算流体动力学是常用的方法，现在已成熟地应用在设计燃烧合成反应器上，通过对比反应器长径比、射流结构等在细节上微小差异，得到产品质量好、产率高的纳米材料反应器。基于人工智能的计算机辅助设计可以实现基于有限元尺度的计算机辅助技术和基于第一性原理的蒙特卡洛模型的跨尺度模型利用神经网络识别最优轨迹[60]，将纳米材料制备过程中的仿真尺度精确到了纳米点尺寸，大大提高了对微纳结构的控制，向纳米结构的可控制备迈进。

同时，人工智能也可以帮助完成纳米粒子合成制备的多物理场耦合，结合多目标算法，采用数值模拟训练人工神经网络，预测数据的规模更大、维度更广，可以将涉及纳米合成过程的化学反应和反应器反应流程结合，大大提高了解决新材料开发和放大问题时的效率，成功地将冷模实验、加工仿真和实际试验结合，降低了纳米材料产业化的难度，加速了新材料应用的研发。

6.3.2　重点任务

目前，我国纳米材料研究主体以高校和科研院所为主，尽管在研究过程中已经引入了一些材料设计以及智能学习等手段，但普及程度较低；与企业合作较少，很多研究成果不能及时转化为产品；企业生产以中低端纳米材料为主，很多高端纳米材料产能不足，依然依靠进口。面对我国在纳米材料研发与生产过程中的一系列问题，目前我们的重点任务有如下5个。

（1）纳米材料研发设计智能化

在大数据与人工智能发展的背景下，实现智能化的工业生产制造，通过模拟计算和大数据体系来分析、预测和对比材料的性能和效用是材料设计研发的主要目标，但是仍面临缺乏独立自主研发的高通量材料计算程序、高通量材料检测设备和较为实用的完备的材料基因数据库等问题[61]。

在智能设计研发上，当前的技术正处于发展的起步阶段，数据库以及数据处理平台不够完备，各种应用手段还需要加强。

① 对于性能要求非单一的材料的研发，尚不能完全通过计算来评估性能要求复杂的体系的材料的性能。

② 对于新材料的研发，目前材料搜索还是基于现有的晶体数据库，只能在现有已经可以制备的材料中寻找具有某些性能的材料，或者仅仅做一些类似于化学掺杂的工作，这样就很难有革命性的成果；尽管现在已经有了一些利用遗传算法搜索材料结构的计算软件，但其计算效率、稳定性和有效性仍有待提升。

③ 对于实验的计算模拟，尚不能通过材料基因组技术来预测实验过程，还没有成熟的计算模拟实验的方法，更多的应用还是利用计算模拟对实验结果进行解释和验证。需要融合高通量计算与高通量实验，发挥材料基因组技术的系统优势[62]。

（2）纳米材料制备工艺过程智能化

① 结合制备过程与放大的实验数据，建立完善的跨尺度模型和算法　新产品的实验过程可以在不同尺度的测试设施中进行，从实验室规模的小型工厂到每天可以生产几吨产品的大型中试工厂。扩大因素、工艺和施工设计中涉及的风险以及有限生产的可能必要性是衡量新工艺首次实现规模生产的重要指标。有些材料制备工艺可以在小型工厂（实验室规模）中较好地生产，但是在不同生产测试条件的影响下，按照经验法来扩大生产往往会导致资源的浪费。因此，借用大数据，跨尺度地对生产工艺进行模拟，升级优化建模算法，对于产业化生产非常有必要。

② 发展对纳米材料的尺寸和形状、微观结构和性能进行精确检测和控制的先进传感技术　检测监控系统是制造系统中的重要子系统，用以采集、传输、处理和利用制造系统的工况数据（包括原材料检验数据、制造过程工艺数据、设备状态数据、产品检测数据、能源动力数据以及环境状态数据等），监视系统的运行状态并做必要的干预和控

制，预测系统的运行趋势，诊断系统的故障或问题，提供系统优化和维修意见，为制造系统的正常高效运行、质量控制和优化调度等提供决策依据。先进制造系统中的检测监控系统需要在分布环境中实时检测处理各种工况信息，提供复杂制造过程、复杂环境及复杂状态下的制造过程的“全息映像”，并依此对整个制造系统的运行状态进行评估、处理与控制。检测监控系统要达到上述要求，从技术上首先要实现智能化，这种智能化不仅体现在各个监控节点对检测信息进行实时处理的智能化，还体现在各个监控节点通过协作、协调组成有机体系的智能化[63]。

需要利用先进的控制传感技术和形貌表征手段（比如人工神经网络控制联用的透射电镜[64]）来进一步完善对材料、设备状态的实时监测，同时需要考虑将从大量复杂的信息中提取出的有效、全面的信息传输给智能专家控制系统。

（3）制备与成型加工智能化

综合利用计算机人工智能技术、数据库技术和先进控制技术，开发并利用将材料组织性能设计、材料制备与成型加工过程的实时在线监测和反馈控制融为一体的材料智能制备加工技术，可大大提高材料制备与成型加工过程的可靠性和稳定性，缩短产品开发周期，提高成品率、生产率和产品性能，降低能耗，降低生产成本，延长产品使用寿命，有效减少原材料的消耗及废弃物的排放，减轻环境负担[65-66]。

材料智能化制备与成型加工技术是指应用人工智能、数值模拟和先进数据库等技术，按照使用要求设计材料的成分、组织和性能，在性能设计的同时，设计出切实可行的制备和成型加工工艺，从而实现性能设计与制备和成型加工工艺设计的一体化[67]。在材料制备与成型加工过程中，利用人工智能系统实时在线监控和检测工艺过程中材料的性能、形状尺寸、表面质量等工艺参数的变化，同时将监测得到的信息进行整理并同步反馈到中央控制系统，由计算机中的智能专家系统做出控制决策，智能化确定最优工艺参数，并自动以最优的工艺参数完成材料的制备与成型加工，实现对产品组织成分、性能以及制备和成型加工工艺的在线精确控制，最终生产出质量最佳的产品，从而实现材料生产循环的在线设计和闭环控制。

材料智能化制备与成型加工技术的下游应用领域广泛，根据生产工艺的要求以及不同控制目标，其所要突破和重点研究的任务也不一样。主要任务包括以下几个。

① 基于可靠的数据驱动与模型驱动，完善成型加工过程的数学模型　由于材料的智能化制备和成型加工的过程较为复杂，不仅涉及多学科、多理论交叉，而且在实际的生产操作过程中由于成型的材料不同以及不同的工艺参数具有时变性、非线性及干扰因素较多等特点，使得最终的产品难以准确预测，因此很难建立精确的数学模型[68]。所以，建立一套数据驱动和模型驱动相协同的基于人工智能的过程模型，建立材料微观组

织演化的精确仿真用于预测材料的相关性能，是现在亟待解决的问题。

② 完善材料制备和成型加工工艺参数以及多源异构产品、产品生命周期数据库　建立和完善材料智能化制备与成型加工过程的多因素作用、多尺度控制综合理论，包括多场作用下的材料变形行为，材料制备与成型加工过程多尺度模型的建立与集成，多因素与多目标综合控制理论与方法数据库。重点关注材料制备与成型加工过程的非定常和非线性问题，以及材料制备与成型加工工艺中的科学问题。

材料制备与成型加工过程的非定常和非线性问题，主要体现在材料变形状态、摩擦条件及材料参数变化的不确定性，材料组织和性能及物理量、环境影响、工艺参数的非定常性，材料物理非线性、几何非线性和边界条件非线性。

材料制备与成型加工工艺中的科学问题，包括材料组织、性能和工艺之间的关联，组织性能与变形行为的关系，基于知识的材料智能化制备与成型加工工艺规划方法，基于过程模型的材料智能化制备与成型加工工艺优化等[67]。

③ 增强材料成型过程中实时在线监控、感知与调度技术　材料制备与成型加工在线检测、决策规划以及控制技术，包括原位微观组织与性能的检测及其传感器的设计和应用技术，基于过程模型的在线智能决策系统，工艺参数与微观组织和相关性能的在线控制及反馈技术，在线确定摩擦因数的方法等。

④ 完善高效的云平台服务　建立产品的标准化服务流程，将成熟的产品与服务响应机制结合起来，建立和完善超大规模、虚拟化、高可靠性、通用性、高可扩展性、按需服务、极其廉价的云服务平台，为用户提供高效、可靠的服务保障。

（4）纳米材料反应器的智能化设计

物料在反应器内不同的流动状态会使反应器内的物料呈现出不同的浓度、温度及停留时间分布，从而对产品的产量和质量产生影响。反应器的智能化设计是提升产品质量、生产效率及产品稳定性的关键。

随着纳米材料领域的不断发展，纳米材料的种类不断增加，为了满足纳米材料的制备需求，各类反应器不断地被设计与优化。比如广泛应用于沉淀法制备纳米颗粒的搅拌釜式反应器（液相反应器）、制备纳米气溶胶的喷雾热解反应器（气相反应器）及超重力反应器（多相催化反应器）。不同类型的反应器具有不同的特征，对物理建模也有不同的需求。因此，通过人工智能方法建立各类反应器结构特征与材料制备需要满足的工艺特征之间的映射关系，是提升建模及智能化设计效率的有效手段。

机理模型、数据驱动模型和混合模型是化工过程三大数学模型。机理模型是由机理出发，由实验验证的模型，这类模型反映过程本质，如在流体力学中用来描述流动过程的流动方程。数据驱动模型是通过各种方式收集实验装置、中试装置或者大型生产装置的实测数据，通过回归分析得到的纯经验的数学关系式，这类模型的结论受限于实验范围，不易外推。随着人工智能的发展，机器学习被用于构建复杂的数据驱动模型。混合模型则是机理模型和数据驱动模型的结合，能有效地提高模型对过程描述的准确性。然而，纳米材料制备过程往往伴随高温高压放热反应条件，这就导致难以通过热模实验获得足够的实验数据，同时，用于描述反应器内流场特征的机理模型及机器学习算法仍需优化，因此，反应器的智能化设计仍旧面临数据收集、样本构建、流动机理模型优化及机器学习算法优化等问题。

（5）纳米材料生产控制的智能化

如今制造业面临着非常大的竞争压力，很多企业都寻找优化生产模式、提高运营效率、降低生产成本、加速产业进程的方式，数字化工厂随着互联网的发展应运而生。通过数字化工厂对整体的生产工艺和生产线进行数字化设计与规划，实现了制造过程中对产品质量的实时监控和对设备运维的监控，摆脱了生产中时空的限制，起到互联互通的效果，生产效率得到提升的同时，也使得管理者、供应商、上下游生产企业联系更加紧密，对于产品的生产可及时获取有效的产品质量信息。基于制造业的发展需求，建立数字化工厂仍有问题亟待解决。

由于AR技术兴起不久，目前的AR头盔和眼镜局限于在大型工厂的生产过程中由工人体验，还未能针对整体制造业得到应用体验。在制造过程中，很多企业已实现智能制造和机器人快速生产，但面对生产过程中出现的问题，仍需装备技术人员在现场对问题进行排查，得到的庞大的数据库未能对制造过程及时有效地反馈，这需要通过开发制造机器人的云端系统和处理数据库的算法来解决。由于数字化工厂目前仍处于不断地探究再开发阶段，国内也缺少自主知识产权的产品设计和应用仿真软件，使得数字化工厂建设过程中要逐步根据生产制造需求反复地调整系统进行算法优化升级。制造业的智能化网络和一般的社会通信网络存在的巨大差异，工作流程系统的管理水平及其灵活性和拓展性仍有待提升，应对系统进行及时的优化和完善，以满足制造业高质量发展的需求。

6.4　亟待突破的基础理论、方法以及技术

经过多年的发展，在纳米材料研发方面，我国除几个少数领域处于国际领先或并行水平，大部分领域仍处于落后状态，例如纳米材料生长机理、表面原子结构、界面相互作用等；应用于基础研究的软件，例如第一性原理、分子动力学等研究软件被国外公司

垄断，国内仍缺乏与之竞争的公司。要突破国外公司的垄断，促进我国纳米材料产业快速发展，目前以下4点亟待突破。

（1）纳米材料结构设计与性能筛选

人工智能方法以数据驱动模型替代传统研究中的关于特定性质的数学方程，直接由高维高通量数据建立变量间的复杂关系，捕捉传统研究方法难以发现的规律，在复杂系统的分析、预测、优化方面拥有与生俱来的优势。通过人工智能技术来寻找纳米材料领域中传统研究方法所面临难题的解决方案，已逐步成为纳米材料研究领域的发展趋势。结合人工智能，材料科学研究论文中的数据将更容易收集和获取，大数据技术能够有效地获取不同变量之间的隐藏关系，预测材料的具体性质，指导化学合成路线，优化工艺参数，并升级现有的材料表征方法。材料基因组的研究模式是构建实验表征工具、模型计算方法和高通量数据库的创新技术框架，由“高通量并行迭代”代替“试错法的多次顺序迭代”，由“经验指导实验”向“理论指导、实验证明”新模式转变。

在目前的纳米材料智能研发中，结合人工智能可将流程分为数据准备、模型训练、模型评估三个步骤。常用的人工智能算法可以分三类：回归、分类和聚类。其中，回归和分类作为监督学习算法，常用于纳米材料及其复合物的性能预测、跨尺度模型建立、损伤种类分析和逆向设计等[69-70]；聚类常用于判断纳米材料关键性能的表征，如晶体结构、相变温度、催化性能等。此外，遗传算法等也常用于优化纳米材料结构设计、纳米数据库建立等。基于智能筛选和高通量制备的智能研发可以精准、快速地筛选新材料组成，建立基于材料组分—结构—制备—性能的构效关系，为高通量平台的开发提供理论支撑。

纳米材料基因组技术包括高通量材料计算、高通量材料实验和材料数据库三个方面，其核心内容如下。

① 多尺度材料计算软件及高通量计算驱动引擎的自主开发。在纳米材料领域，基于第一性原理的量子尺度计算和分子动力学的原子、分子尺度计算是材料结构设计和性能表征常用的计算方法。基于热力学、动力学参数的微观尺度计算（分子动力学模拟、第一性原理计算）可有效地运用于材料生产。基于有效介质理论的介观尺度计算（直接模拟蒙特卡洛方法、格子玻尔兹曼方法）以及宏观尺度计算（有限元法、有限体积法、有限差分法等）可以帮助完成结构跨尺度纳米材料的设计。目前，多尺度计算策略有两种：一种策略是首先在较小的尺度上建模，然后将结果放入大尺度模型，一般称为信息传递的多尺度建模方法；另一种策略是在不同尺度上同时建模，将区域分成不同尺度定律控制的区域，在交界处实现连接，这种策略称为并发多尺度方法。

② 高通量材料制备、表征方法和检测仪器的设计与制造。基于纳米材料不同的成分、结构的高通量表征技术，如全自动集成微区X射线荧光和衍射系统，可以同时检测

并鉴别纳米材料的成分和结构。针对纳米尺度的各种反常性能的高通量测试技术，如为测定一维材料热导率尺度效应和同位素效应所研发的悬空微桥法[71]。针对材料加工成型的高通量原位实时表征测试技术，如同步辐射白光微束X射线衍射系统，可通过表征数据和图像的识别快速反馈控制热处理条件。

③ 材料数据库及材料信息学技术的自主开发。研究者一方面需要机器学习加速实验和计算以获得更多定量数据，另一方面希望通过主动学习或贝叶斯优化方法获取有价值的数据。内容包括纳米材料性能数据标准、数据共享协议、数据内容建设、数据分析与数据挖掘技术，以及数据库管理和使用机制等。机器学习的引入不仅可以高效地将数据表征或模拟材料的性质分类录入到相应的数据库，还可以利用已有的小数量数据集实现信息传递以寻找新的数据[72]，比如采用迁移学习、多精度机器学习的方法来降低对大数据集的需求。利用大数据训练的神经网络的权重初始化、定向微调，以实现有限数据库的使用。

（2）纳米材料制备反应器的设计与优化

纳米材料的制备过程往往具有高温、高压或强放热特点。因此，与实验相结合的计算机辅助设计方法被广泛应用于纳米材料制造的设计中。与单纯的实验手段相比，计算机辅助设计大大减少了高温、高压及强放热特点对实验的限制，在能高效、系统地考察工艺参数对制造过程影响的同时，还能获得大量基础数据。在大数据与人工智能驱动化工新材料制造背景下，通过计算机辅助设计和实验相结合的手段获得大量基础数据，为实现智能制造创造了有利的条件。

对于搅拌釜式反应器、射流反应器、平推流反应器等被广泛应用于化工制造的传统反应器，计算机辅助设计已经可以对其内部流场进行准确的描述，在拥有反应动力学参数的情况下也可以对反应器内的反应及放热情况进行预测[73-76]。这些通过实验不易直接获得的参数可以有效提升人工智能对材料制造预测的准确性。Zeng等发现，结合了CFD计算的反应器模型，通过机器学习对不同气相化学沉积工艺条件下碳化硼纳米材料的硼碳比的预测误差从没有结合CFD计算时的25%下降到了7%，这为化学气相沉积法制备碳化硼的设备的设计提供了新的思路[77]。Joseph等将第一性原理、蒙特卡洛模型与连续流模型结合起来描述平推流反应器，并基于神经网络来识别最优输入轨迹，以确保对量子点尺寸的精确控制，这一做法向量子点尺寸材料的可控可靠制备又迈进了一步[78]。Liu等则是采用构造矩阵和人工神经网络数值模拟结合的方法对炭黑反应器进行了改造和调控，将原材料流量及反应器温度等参数与可导电炭黑的特性进行关联[79]。

人工智能还可用于解决新型反应器制备纳米新材料的开发和放大问题。A.Nicholas等结合了多目标机器学习优化、高产率微反应器和高通量分析等先进技术[80]，通过不到100次的实验即实现了1kg/d的高抗菌性纳米ZnO的制备，为解决纳米材料开发和大规模制备实验费用高、合成方法低效和放大复杂的问题提供了一种有效的方法。Kosuke等设计了一种合成CdSe纳米颗粒的微反应器组合系统，该系统能在一个月内完成近500次实验，并且通过结合神经网络的方法可以快速有效地对实验中获得的大量数据进行分析，从而找到了能够有效提高CdSe纳米颗粒量子产率的反应器结构及工艺方法[81]。

（3）纳米材料生长过程在线表征与性质预测

用人工智能的方法对检测方式进行优化，可以对材料制备过程中的现象和影响因素进行分析，有利于实现材料的可控制备。纳米材料的性能多受其尺寸的影响，而纳米材料所具有的特殊性质使其在制备过程中不断发生团聚、断裂和重组。因此，对纳米颗粒在气、液相中的团聚现象及影响因素的研究对纳米材料的可控制造尤为重要。粒子图像测速（PIV）是一种非接触式、全局、定量的流场检测方式，也被应用于纳米颗粒团聚现象的研究中。Wang等通过粒子图像测速仪分析和人工跟踪单个聚集体，获得了纳米颗粒聚集体的沉降速率并讨论了在流态化条件下纳米颗粒聚集体的内部结构和形成机理[82-83]。因此，提高PIV技术粒度测量的准确性，减少不确定性，充分发挥该技术的潜力，可以为纳米材料的可控制备奠定基础。在大数据与人工智能驱动化工新材料制造的背景下，结合深度学习设计的粒子图像测速算法能显著提高PIV技术的估算精度。Masaki等提出了一种利用有监督机器学习从缺失区域的粒子图像中估计速度场的方法，该方法能够获得更精细和隐藏的流场结构，这表明基于机器学习的方法作为一种新的PIV数据重建方法具有很大的潜力[84]。Jean Rabault等报道了卷积神经网络（CNN）和全连接神经网络（FCNN）在端到端PIV中的应用，结果表明人工神经网络不仅可以用于合成图像，还可以用于在真实实验装置中获得噪声更大、不完美的图像[85]。虽然他们提出的人工神经网络的均方根（RMS）误差略高于最先进的互相关方法，但其在边缘附近表现更好，并具有更高的空间分辨率。

以各种类型的光谱和显微镜数据为催化剂和表面反应构建机器学习模型，可以快速识别活性位点、中间体和产物。Al-Khedher等使用了ANN计算方法，通过量化碳纳米管的结构属性（即碳纳米管的排列和曲率）来确定碳纳米管的分布情况，碳纳米管分布的物理外观可与拉曼特征联系起来，相互印证[86]。Madsen等发现通过500个Au纳米粒子的模拟TEM图像训练的深度卷积神经网络可用于在高分辨率TEM（HRTEM）图像中直接识别在CeO_2上支持的Au纳米粒子的原子（原子柱）[87]。

生产过程中的产品质量往往难以在线检测，确定关键质量变量的值需要花费大量的时间和资金，收集到的大部分数据样本通常只含输入数据，仅有少量数据样本同时包含输入和输出数据，这导致建模样本中存在大量的无标记样本，因此需要采用半监督学习

（SSL）方法建立产品质量软测量模型，对产品的质量进行全生命周期监督。代伟等提出了一种基于随机向量函数链路网络（RVFLN）的在线自适应半监督学习算法[88]，并记为 OAS-RVFLN，其能够捕捉生产过程中随时间变化性质，对纳米材料的质量进行支持。

质量的形成因素众多而且相互影响，因此在质量控制过程中引入大数据技术进行质量控制系统的构建，训练质量预测模型，对于实现质量控制智能化具有重要意义。利用预测模型模拟生产过程中的数据，可以有效降低成本，实现质量控制及质量预测。利用大数据技术和SPC控制图构建纳米材料质量控制系统，可以在一定程度上实现纳米材料过程控制、事前预测，辅助企业质量控制人员开展工作，为智能制造背景下的质量控制实践提供理论依据。使用类似于机器翻译的编码-解码技术将其转化为短序列，不依赖任何额外的人工处理，使用长短期记忆网络深度学习模型对其建模，将主流的机器学习方法和最新的深度学习模型结合起来，综合利用两者的优势，以实现更精准更智能的产品质量预测。

（4）纳米材料生产线数字化与智能化

21 世纪初期，随着计算机数值模拟和过程仿真技术的迅速发展，对化工材料的成型加工技术的研究和发展起到了重要的促进作用。如今，人工智能、神经网络技术的高速发展和材料数据库的日渐完善使仿真和模拟的应用范围、结果可靠性和性能预测精确性得到了进一步发展。另一方面，各种先进的在线监测技术和可视化监控技术的发展，加强了材料制备与成型加工过程的把控，提高了产品生产效率和良品率[89]，也为制备过程中智能化调整增加了技术储备。综合利用人工智能技术、数据库资源和先进控制系统，开发将纳米材料组织和性能设计、零部件设计、材料制备和成型加工过程的实时在线监测和反馈控制融为一体的“制备过程智能化”技术[90]，其实质上是一种先进的计算机控制加工技术，即选定控制目标（纳米材料），借助过程模型（如遗传算法），将过程优化（包括工艺参数优化）与先进的监测和闭环控制技术集成在一起，从而实现目标。其与传统的纳米材料生产自动控制最大的不同之处在于控制过程可以将纳米材料直接作为控制目标，由于组织是决定产品性能的重要因素，从而提高了材料性能的直接可控性。此外，研究多模型融合、可视化等技术，构建装备、产线、车间、工厂等不同层级的数字孪生系统，可以实现现实物理世界的数字化映射，推动感知、分析、预测和控制能力的全面提升。

纳米材料制造过程智能化调整本质是过程系统的建模与模拟，以过程系统为研究对象，建立数学模型的过程为建模，求解数学模型的过程为模拟。模拟可分为静态模拟和动态模拟，随着过程工业和计算机技术的发展，过程系统模拟方法发展迅速，其研究对象扩展到微观和宏观尺度，包含了分子、分子簇、颗粒/薄膜、单相/多相系统、单元过程、车间、工厂、企业、供应链等不同尺度层级，为过程系统优化设计、优化操作和控制奠定了坚实的基础。在应用上，开展或具有潜在前景的材料制备与成型加工智能化调整的研究领域包括晶体生长、等离子体沉积、气相沉积、激光快速成型、纳米掺杂和纳米复合材料塑性加工等[91-96]。

基于达尔文的生物进化理论的遗传算法已成功应用于原子结构的设计、电化学电池电极、纳米聚合物加工等领域，需要优化的参数由向量表示，映射到二进制等价物形成个体，其独特的二进制位序列模拟了自然界的生物遗传密码[97]。经典优化基本原则的范式转变通过整个种群代代相传，以实现最终的优化结果。在化工材料中，针对多目标函数或单目标多峰值的多模态问题，需要同时优化多个目标函数，使用遗传算法可以保证生态位中的多样性，对一些适应度高的个体的无限繁殖，不会导致其过早地收敛[98]。在输入部分样本数据后，同样可以采用人工神经网络的方法对工艺参数进行优化，高效灵活的特点使人工神经网络易于解决很多工程问题[99]。清华大学和大连理工大学等高校和研究院都开发了应用于不同化工过程的智能控制系统，并相继开展了基于人工神经网络的计算研究和模型搭建，用于预测纳米材料的基础物性、反应器工况及诊断故障、安全预警等方面。随着计算机硬件算力、数据库的逐步完善和先进算法的使用，人工智能模型预测的精度和可描述系统的复杂性不断提升。目前，清华大学研究团队为优化化工企业生产计划[100]，建立了用于化工过程生产计划优化的混合整数非线性规划模型，并给出了相应的迭代求解算法，开发出适合企业使用的生产计划图形建模优化系统。最终实践结果表明，该系统在化工企业的中间产品外购或自产，中间产品外销或深加工，工业路线选择和装置负荷等方面都发挥了重要作用，获得显著的经济效益。

6.5 发展策略与路线图

6.5.1 发展策略

纳米材料制造技术本身就是集前沿理论探索、高端技术工艺和先进工程制备于一体的科学体系，包括纳米物理学、纳米化学、纳米材料学、纳米生物学等，而纳米材料制造在转向自动化、数字化、智能化时，在原先多学科的基础上，又增加了现代机械学、电子信息学、光学、计算机学等，以获得高精度的控制和检测，改善产品性能和可靠性。要实现纳米材料的智能制造，首先，需要多学科的专家组成一支专业技术队伍，针对纳米材料制备过程中的每一项技术难题进行攻关；其次，需要不同层级的多部门进行有效合作，基础研究的高校和研究院所、设备智能设计和制造公司、纳米材料生产公司以及纳米材料应用公司等，要进行信息共享；再次，在全国范围内，建立专业的技术平台，包括专业软件平台、测试平台、模型数据平台；最后，对于积极参与研发的公司以及员工，给予政策以及经济上的大力支持。

6.5.2 发展路线图

发展路线如表6-1所示。

表6-1 发展路线

目标	短期	中长期
构建纳米材料高通量筛选、制备、表征平台	开发对文献、专利、书籍中数据进行自动挖掘整理的算法；建立国家层面的测试计算、数据共享标准；采用标准化或自动化制造设备提高纳米产品质量和稳定性；将实验模拟、表征结果和机理结合，完善理论基础	建立全球数据共享标准，提高实验数据表征的有效性与互通性；开发更准确的高通量计算程序，制造更精密的高通量检测设备；融合高通量计算与高通量实验，发挥材料基因组系统的优势
纳米材料基因组大数据库的自主开发及维护	将第一性原理计算、分子动力学、有限元分析等模拟工具运用到纳米材料合成中；开发针对纳米材料的多参数复杂反应空间方法，预测非单一功能纳米材料的综合性能	完善多源异构产品、产品全生命周期等复杂非线性材料数据库；预测纳米材料多步骤合成过程最优路线；逐步完善材料组分—结构—制备—性能构效关系全规模数据库模型
纳米样本数据库对智能化制备和成型加工设备的优化与设计	增强纳米材料成型过程中实时在线感知与调度技术；开发材料设计、合成制备、成型加工的实时反馈系统，提高产品质量与稳定性；基于人工智能建立材料微观组织演化的精确仿真	结合数据样本、流动机理模拟及机器学习优化反应器设计；完善材料智能化制备和成型加工中的多因素作用、多尺度控制综合理论、工艺路线闭环的自动优化，提高生产效率和产品质量
构建装备、产线、车间、工厂等不同层级的纳米材料生产数字孪生系统	结合制备过程与放大实验的数据，建立跨尺度模型，完善大规模生产优化算法；初步建立材料—制备—检测—控制智能化生产模型；结合产品制造全周期、上下游供应链，提高管理的拓展性和灵活性	攻克智能协同控制、生产智能优化决策等关键技术，建立数字化工厂；建立高效云平台服务，将技术、产品、市场、服务响应机制结合，为用户提供高效、可靠的保障，平衡供需，满足制造业高质量发展的需求

（1）近景路线规划

到2030年初步完成各种平台的搭建，在实验室规模上建立材料组分—结构—制备—性能构效关系智能筛选优化模型，建立材料—制备—检测—控制智能化生产模型，为产业化生产做好准备。

（2）远景路线规划

到2040年，在前期对分子、分子簇、颗粒/薄膜、单相/多相系统研究的基础上，将研究对象扩展到单元过程、车间、工厂、企业、供应链等更宏观的尺度上，攻克智能协同优化控制、生产智能优化决策等关键技术，建立纳米材料数字化工厂，实现纳米材料的智能制造。

大数据与人工智能赋能化工新材料制造战略研究

Strategic Study on Big Data and
AI Empowerment for Intelligent Manufacturing for
Advanced Chemical Materials

第7章　人工智能驱动催化新材料制造的发展战略

催化新材料是支撑炼油化工、碳中和等领域的“核心反应引擎”，其活性、选择性与稳定性直接决定反应效率、能耗及环保水平，是我国化工产业向“绿色高效”升级的关键，也是全球化工技术竞争的核心赛道。当前研发与制造面临三大挑战：研发端依赖传统“试错法”，高维变量关系复杂，工业化周期长达10～15年；数据端，大量失败数据未利用，设备异构导致数据割裂；设计端，关键组分（如有机结构导向剂）需兼顾性能与可合成性，逆向设计缺乏高效工具，传统模拟筛选成功率低。

人工智能为催化材料研发范式变革提供了核心路径。本章围绕“AI驱动催化材料全流程智能研发”展开。从梳理全球态势与典型案例切入，明确关键需求与技术短板；确立“自动化－互联化－智能化”的分阶段发展目标，重点部署数据中台、智能决策软件等任务；深入剖析数据管理、实验编程语言等亟待突破的技术瓶颈；最终提出复合型人才培养与产业链构建策略及实施路线图，为打造自主可控的智能催化材料研发平台提供全面指引。

7.1 典型案例与需求分析

7.1.1 催化新材料智能制造发展态势

高通量平台的发展成熟，为人工智能（AI）算法提供了数据基础。人工智能技术具有解决大规模组合过程的非线性问题的能力，能够在高维的化学空间中自主高效优化实验参数，减少实验迭代次数。针对分子筛水热合成实验，Corma课题组早期的工作利用支持向量机（SVM）、决策树、人工神经网络（ANN）定量建立了凝胶组成、水热条件与结晶度之间的关系模型，并用来优化实验参数，提升结晶度。遗传算法（GA）的运作机制与进化论的进化机制类似：通过选择适当的运算符（如选集、交叉和突变）实现对变量的迭代控制。Corma课题组结合了ANN和GA来改善钛硅酸盐对烯烃选择性环氧化的催化性能：ANN用于建立实验变量与催化性能的映射关系，在此基础上，GA对合成实验变量（表面活性剂、有机改性剂、钛含量等）进行了迭代优化，神经网络-遗传算法（ANN-GA）优化过程合成了三代样品，每一代的催化活性和环氧选择性较上一代都有显著提高。机器学习技术能够促进高通量表征数据的分析，Corma等首先使用主成分分析技术（PCA）从分子筛催化剂的X射线衍射（XRD）表征中提取所需的频谱描述符，然后将频谱表征描述符与常规的结构和成分描述符相结合作为模型的输入，通过ANN和决策树建模技术获得性能预测模型，实验表明，加入频谱描述符能够提升模型预测的准确率。针对PXRD频谱的结构解析，Corma小组在动态时间规整（DTW）基础上，开发出了自适应时间规整（ATW）算法，该算法能够自动识别并分解出混合物中的晶相。混合金属氧化物作为常用的工业催化剂，通过对金属组分的调控来提升其催化性能至关重要。尹万健课题组利用符号回归机器学习方法，以析氧反应为例，建立了氧化物钙钛矿催化活性与简单材料参数（化学配比、离子半径、电负性、价态、过渡金属离子d电子数等）的构效关系，发现了析氧反应的新描述子，并据此进行材料设计，从3000多种材料中选择了13种，方法指导的实验成功合成了5种，其中4种新材料的催化活性高于典型氧化物钙钛矿催化剂BSCF。

除了高通量平台产生的实验数据外，海量的材料合成信息以自然语言为载体，通过科学文献和专利进行传播。提取材料科学文献和专利中的有用信息可为数据驱动的机器学习材料设计方法提供丰富的数据资源。借助于自然语言处理技术（NLP）和文本标记解析工具的进步，从文档的表格、图形和文字段落中自动收集实验数据成为可能。Olivetti课题组利用NLP和机器学习技术，从涵盖了30种氧化物体系的640000篇文献中，自动提取与合成相关的信息，并将提取的信息以规则化格式保存为数据库。该数据库用于训练机器学习模型，指导氧化物的合成。针对分子筛合成制备，Olivetti和Corma课题组联合开发了类似的文献挖掘工具，从70000篇与分子筛合成相关的文献中提取实验信息并将提取的信息规则化保存为数据库。该数据库用于训练决策树模型，实现根据合成条件预测分子筛产物的骨架密度；还用于训练生成深度学习模型，训练好的生成深度学习模型可以根据水热合成条件和目标分子筛结构，预测推荐有机模板导向剂。

分子筛的合成往往需要用到有机结构导向剂（OSDA），合成特定结构的沸石需要找到合适的OSDA。第一性原理可以模拟计算出OSDA与分子筛结构之间的结合能，进行OSDA的筛选。然而该方法不能保证筛选出的OSDA易于化学合成。为了保证OSDA的可合成性，Deem等将遗传算法应用到基于市售试剂的化学反应路径的大数据库中，遗传算法中的评价函数是基于OSDA分子在合成条件下的稳定性等性质，强调的是OSDA分子的化学可合成性。人工智能技术辅助的逆合成分析方法，也有助于解决新型OSDA难于合成的问题。Liu等采用深度学习序列模型（seq2seq）预测有机小分子的单步逆合成。seq2seq模型包括编码器（encoder）和解码器（decoder）两部分，每部分都由循环神经网络构成。编码器用于产物分子的编码工作。解码器则完成反应物解码工作，对编码器的结果进行解码输出，即输出反应物。OSDA的结构在计算机中以描述符构建在人工智能辅助逆合成分析任务中十分关键。最近的一篇关于分子结构编码器的综述中指出，基于深度学习的编码器将分子结构转换为稠密连续的、可学习的隐式空间中的向量，相比传统的二维或三维编码器（如Extended-Connectivity Fingerprints40, 3D-MoRSE41等），更适合分子机器学习任务。Schwaller等结合深度学习序列模型和图搜索策略，得到了产物的合成路线。Shibukawa等利用深度优先搜索算法枚举全部可能的合成路线，利用评价分数筛选可能的合成路线。Coley等考虑到反应物、试剂的可获取性等实际合成约束条件，以Reaxys数据库为训练数据集，搭建深度神经网络，用于计算合成复杂度。Coley等进一步搭建了有机合成机器人平台，自动化执行基于AI的逆合成路线。该系统利用Reaxys数据库和美国专利商标局的数据库训练神经网络，并结合蒙特卡洛树搜索技术，为给定分子提出合成路线，并评估最佳路径。AI推荐的合成路线被写入CRF文件（refined chemical recipe files）。机械臂系统依照人工校验后的CRF文件中的过程配置信息，组装模块化过程单元（反应器和分离器），形成连续流动路径，自动执行合成实验。

7.1.2　典型案例

7.1.2.1　学术前沿领域

近年来，将材料合成制备与人工智能技术相结合的新研发模式已在材料领域展现了巨大的应用前景。然而，人工智能在高维空间中进行思考的潜力与研究人员在多维空间中进行实验的能力并不匹配。也就是说，人工智能“大脑”和人类“手”之间存在脱节，随着计算机技术和人工智能方法变得更强大，这种差距正在进一步扩大。利物浦大学Cooper团队基于“研究自动化，而不是仪器自动化”策略，开发了世界上首款具有AI大脑、能自主进行研究的移动机器人化学家。机器人化学家将人工智能和实验无缝融合在一起，这是实验室自动化的范式转变。2020年《自然》以封面论文形式发表了该项工作，受到了全球科研、工业媒体的广泛关注。该论文在所有发表的同领域研究论文中名列前1%。本项目开发机器人化学家通过带有定制抓取器的灵活机械臂并结合激光扫描和触摸反馈来进行定位，可以与大多数标准实验室设备互动，可以独立执行化学实验中的所有任务，例如称量固体、分配液体、运行催化反应以及定量分析反应产物等，并能安全地在人类同事和障碍物之间自由穿梭。机器人化学家可以连续不间断地工作和分析数据，并利用批量贝叶斯搜索算法对10个维度的化学变量进行分析，从约1亿个候选化学实验中自主做出下一步实验的决策，自主调整原料组成、实验条件等。这款机器人化学家每天工作21.5个小时，8天时间里独立完成了668个实验（包括6500次实验操作），成功自主研发出一种6倍于现有催化剂活性的全新光催化剂。该文第一作者Benjamin Burger表示：“最大的挑战是使系统稳定耐用。机器人要在数天中自主工作并进行数千次精细操作，每个任务的失败率都必须要非常低。机器人编程调试完毕之后，犯的错误与人类实验员相比要少得多。”2020年机器人化学家新材料开发项目荣获了欧洲科研基金会的1000万欧元的资助。2021年，Cooper院士因此项目荣获了英国皇家化学会交叉学科奖。此项技术孵化了Mobotics公司，其利用这种极具颠覆性的机器人技术瞄准了每年价值超过1.2万亿美元的全球研发市场。

在分子筛合成方面，麻省理工学院Bombarelli、Olivetti课题组和西班牙瓦伦西亚理工大学Corma、Moliner课题组合作，集成高通量模拟、实验和多种数据挖掘、人工智能技术，提出优于传统的有机结构导向剂的设计原则，指导目标分子筛相结构的定向选择性合成，并成功得到实验验证，该项工作发表在*Science*上。分子筛孔道结构的多样性源于亚稳态晶型之间的相竞争，分子筛合成实验中控制分子筛结构相竞争是项基于试错经验的劳动密集型任务。实验表明，不同的有机结构导向剂（OSDA）倾向于形成某些特定的结构单元。针对特定分子筛结构，传统计算机模拟方法通过预测多个OSDA分子与目标结构的结合能来选取OSDA，但是该方法无法计算选取的OSDA是否更有利于其他分子筛结构，因此这类方法成功得到实验验证的概率偏小。计算机筛选出来的OSDA可能难以合成。另外，包含OSDA-分子筛对结合能信息的公开数据库相对缺乏。为了解决数据稀缺问题，基于自然语言处理等技术，Olivetti与Corma课题组开发了一种可以从分子筛期刊中自动提取合成信息的工具，该工具可自动从文章的表格和正文中定位、提取和整理分子筛合成数据。Bombarelli课题组提出的有机结构导向剂设计原则复现了从文献中提取的1122对OSDA-分子筛对关系。OSDA分子的可合成性通过SCScore模型预测。SCScore模型是由1200万个化学反应路径训练的深度神经网络，用来估测给定分子结构的合成复杂性。每个OSDA分子在计算机中通过摩根指纹（Morgan fingerprint）编码。为进一步对OSDA编码进行降维处理，课题组开发了联系可合成性窗口、结合能和集合描述符的人机交互工具，以便实验人员更加直观地设计OSDA。课题组展示了使用该工具能够设计单一的OSDA合成CHA/AEI分子筛共生体，并通过控制相竞争来调节其对甲醇制烯烃（MTO）反应的催化性能。

7.1.2.2 企业发展态势

自20世纪90年代末，雪佛龙、埃克森美孚、霍尼韦尔UOP、陶氏化学、巴斯夫等公司注重催化剂高通量制备、表征和测试平台的搭建，以加速催化剂研发进程。陶氏化学利用Symyx公司（已被Unchained Laboratories公司收购）开发的高通量技术，将茂金属催化剂研发周期从传统的几十年缩短到18个月。时至今日，巴斯夫hte子公司（hte即为high throughput experiment的缩写）下属员工超300人，专注于高效催化剂研发解决方案，提供高通量实验室软硬件集成技术。

国内催化剂高通量研发平台起步较晚，中国石化上海石油化工研究院与国外公司合作，建成了国内首套工业级48通道高通量分子筛合成与表征系统。该系统基于专用的执行软件与数据库，由固体称量、凝胶制备、晶化反应、样品洗涤、后处理、样品成型、SEM表征、PXRD表征等单元共同构成。利用该系统，上海石油化工研究院成功开发SCM-14、SCM-15两种全新结构的分子筛，实现了国内企业在新结构分子筛合成领域“零的突破”。

科莱恩（特种化学品公司）官网报道，该公司2020年升级扩建了位于美国加利福尼亚州帕洛阿托的高通量催化剂研发中心，规模翻倍。凭借优越的地理位置，该研发中心可利用硅谷的高科技资源。该中心的高通量研发技术结合了顶尖计算机硬件、自动化设备、自动化程序和专业软件，包括机器学习和其他人工智能工具，较传统方法可使实验速度最多加快100倍。科莱恩凭借这一创新方法，及其在催化剂研发和生产方面的专业技术和知识，将催化剂的探索和开发周期缩短至3～4年，从而加快了市场化速度，例如选择性加氢催化剂OleMax® 260。

7.1.3 需求分析

实现新型催化材料的自主合成是研究人员的终极目标，这将在实现绿色可持续发展和碳中和中发挥重要作用。仪器设备的高通量和自动化可以通过顶尖的工程设计实现，然而对于一个理想的催化材料自主发现优化平台，数据和算法的管理和开发同样必不可少。要迈向下一代催化材料自主智能研发实验室，可用于算法开发的化学数据表示形式和标准化开放化的通信协议至关重要。建设“自动运行材料研发实验室”，需要软硬件一体闭环的物理和信息系统的无缝融合，从而实现系统的无人自主智能化的材料发现和优化。

随着算力硬件的进一步普及，高通量模拟计算辅助材料研发变得越来越流行。在高通量模拟计算辅助材料研发范式下，新型催化材料的研发流程包含设计、合成和测试三个环节。相比于高效快速的计算筛选，对预测出的物质的合成和测试的效率往往是整个研发流程效率的瓶颈。通过机器人技术、高通量技术以及数据驱动的算法对合成和反应实验进行规划，从而对现有自动化或半自动化的化学实验室进行智能化升级，由机器人替代化学实验人员的实验操作，提升操作效率，有望缓解上述瓶颈。催化材料自主智能研发实验室需要让仪器设备理解抽象的化学及相关过程时序的概念，并严格、正确地执行。上述目标的实现可以利用“数字孪生”技术，即对实验室每个物理实体在数字空间中创造相应的虚拟孪生体，实时映射物理实体的状态信息。通过“数字孪生”平台，物理实体实验与数字仿真实验能够进行协同编排，便于材料在化学空间中的发现和优化。“数字孪生”化学实验室的建设需要硬件和软件方面的进步，以应对其自主智能发现和优化催化新材料过程中的工程上和科学上的挑战。催化材料自主智能研发平台的建设必须考虑以下主要因素：定向可控的合成规划，硬件对实验流程的自动执行，对环境变量的自适应调节，对系统错误的冗余控制，以及系统的自学习能力。

催化材料自主智能研发的硬件基础是常见的材料合成与化学反应涉及的操作的模块化，比如加热试管、搅拌溶液、分离萃取等。对于常见的标准化操作，市面上已有相关的硬件产品，比如机器人移液器、定制化机械手、自动装样机等。基于此，自动化化学一个较为直观的范式是用机器人完成仪器间样品的传递等操作，比如移动机器人化学家的例子。尽管在全自动机器人化学实验平台上有一些成功的例子，由于不同设备厂商往往遵循各自的数据和通信协议，现有平台的可扩展性和通用性仍待完善，往现有系统里添加新设备需要不小的努力。一方面，广袤的化学空间要求自主智能合成平台涵盖足够大的基本操作单元（仪器）和试剂库等，否则平台的通用性可能会受到限制，需要进行人工干预。另一方面，繁杂的仪器和试剂库带来了异构化的数据结构和通信协议，严重阻碍了系统的集成。因此，实现催化材料自主智能研发平台的先决条件之一就是标准化的数据表示格式和交换协议。Cronin课题组开发了一种通用性化学合成编程语言，被取名为Chemputer（该单词为Chemistry和Computer的组合词）。Chemputer结合自然语言处理等技术能够将化学文献中的不同行文风格的实验操作段落转化成规则化的实验操作序列，利用编译工具将规则化的实验操作序列编译到硬件平台中，从而使平台自主完成文献中的化学实验。面向未来，通用可扩展的化学实验数据与交互体系也许能够借助语义网技术。语义网技术利用“本体”来描述特定领域中的概念与联系，通过语义网标准实现数据跨尺度与跨领域的全连接。在催化材料自主智能研发实验室情景下，借助语义网技术有望实现化学物质数据和过程信息的全交互，并通过一个通用框架实现平台内部与平台之间的信息交换。一个显著的例子是英国皇家化学学会推动的CHMO化学信息数据库。

在决策层面，催化材料自主智能研发实验室要自主决定实验设计以及指定具体要执行的操作（条件参数、时序流程），以及对合成和反应得到的物质进行相应的测试并自动解析出物质结构和化学组成信息等。上述任务需要对软件算法进行开发和改善，以实现系统自主无人对材料“合成—表征—评价”全流程进行分析和优化。多孔催化材料的合成涉及高维化学变量，如有机模板导向剂的选择、凝胶来源配比、晶化时间等。高维化学变量对多孔催化材料的结构和物化特性有着复杂的非线性关系，并且化学变量之间存在着相互关联性。传统的实验设计方法无法高效地探寻高维化学空间以及处理复杂的非线性关系。以深度学习为代表的人工智能技术以及以随机森林为代表的集成机器学习模型近年来展现出了强大的处理非线性关系的能力和较高预测精度。以遗传算法为代表的元启发式算法用于搜索、生成或选取一个启发式结果，为优化问题提供了足够好的解。元启发式算法往往和预测模型相结合，批次优化实验参数，迭代提升催化材料的结构和性能。以高斯过程为代表的贝叶斯优化算法用于求解表达式未知的函数的极值，同样适用于估测复杂的化学机理。贝叶斯优化根据初始数据初始化代理模型，通过采集函数选取采样点并更新代理模型，通过不断迭代更新获得未知函数的最优解。贝叶斯优化是基于概率的方法，能够给出置信区间，基于置信区间可以决定是否对感兴趣的区域进行重新预测。对于合成出的催化材料，需要借助一系列表征仪器进行结构和物化特性的解析。传统分析方法依靠人工和专家经验处理各种表征频谱，从表征频谱中解析材料结构，在数学上往往属于具有不适定性的逆问题。以非负矩阵分解、稀疏性正则优化等为代表的先进统计学习算法近年来在材料结构的解析反演上表现出了很大的潜力。构建表征大数据集和搭建深度学习网络是另外一种实现材料结构自动解析的途径。

7.2　发展目标

大数据与人工智能技术驱动催化材料制造的发展目标为由“单一设备的高通量自动化”升级为“设备间的互联化”，并在“自动化”“互联化”的基础上，向着系统的“智能化”发展；在材料基因工程前期成果的基础上，实现由“数据的积累和挖掘”升级为“知识的挖掘”。组建全实验室设备单元智能互联系统，开发人工智能实验优化决策系统，贯穿催化材料研发“合成—表征—服役行为评价”全流程。利用人工智能形成“数据—实验—计算”软硬件一体化闭环反馈系统，系统自主实现多孔催化材料结构功能、催化性能的调控优化，建立数据驱动的机理和构效模型。

基于自然语言技术，开发文献和专利大数据结构化信息自动提取工具，建立和完善融合文献和专利、模拟计算与高通量实验的数据中台。开发具有自主知识产权的催化材料科学数据分析挖掘软件：开发深度学习、集成、混合智能等算法，开发催化材料描述符算法，实现精准预测实验制备条件-催化材料结构和性能关系以及催化材料构效-构性关系，力争产生数据驱动的原创性催化新理论；开发主动学习、贝叶斯优化等算法，形成自主分析和优化实验的软件，迭代优化合成实验条件，实现催化材料结构优化，提升催化材料性能，摆脱传统人工试错模式；针对频谱、图像等具有典型特征的表征数据，开发信号处理、模型识别等算法，实现催化材料结构和物化特性的自动解析。开发催化实验编程语言与集成开发环境：提供智能人机交互界面；实现机器对催化文献实验操作段落的语义理解并转换为规则化的时序操作序列；依据规则化的操作，编译系统正确驱动硬件设备，实现实验的具体实际操作。开发智能复合机器人控制平台：开发高精度电机驱动控制技术，提升移动平台和机械臂的综合工作精度；开发多传感器融合技术，实现机器人高精度自主导航和力度控制；开发电子皮肤类通用机械手，实现对结构化定制机械手的互补，以满足在特定狭窄空间中的操作的需求。开发实验室智能物联网调度系统：实现软件定义的工业互联网融合；实现现场网络不同协议的高速转换；实现设备仪器的智能定位，以便于现场网络和企业骨干网络的跨网调度管理；针对不同催化工艺与制备流程，实现系统快速灵活的组网重构。

到2030年，将基于设备单元智能互联系统模式的催化材料自主智能研发实验室升级为基于语义网Web 3.0形式的化学物质与信息存储传递模式和动态知识图谱架构的数字孪生无人智能化学研发实验室，提升硬件的相容性、可扩展性与通用交互性，实现跨系统的交互合作，实现多平台的协同研发和制造。

7.3 发展思路与重点任务

7.3.1 发展思路

大数据和人工智能驱动催化新材料制造的基础要素是数据。高通量技术与组合化学技术在过去20年取得了显著的进步，并被成功应用到材料研发中，加速了新型催化剂的发现和催化过程。然而高通量和组合化学技术产生的实验大数据目前并没有被机器学习技术充分利用。利用高通量平台产生的历史实验数据训练机器学习模型以及初始化模型超参数，在整个AI优化实验流程中是十分重要的先决步骤。另外，海量的化学文献和专利也包含了催化材料制备和催化反应条件的大数据。值得一提的是，以分子筛为代表的多孔催化材料文献往往包含了失败的实验信息，失败实验的信息对于降低机器学习模型的偏见十分有益。另外，分子筛合成的设计经常涉及有机模板导向剂的设计与逆合成。人工智能逆合成算法依赖于有机合成反应大数据库，一个具体的例子是美国专利商标局（USPTO）化学反应数据库（包含了数百万个反应路径）。

大数据和人工智能驱动催化新材料制造的核心技术是决策优化算法。催化剂的制备以及催化反应的调控都是十分复杂的过程。经典的实验设计算法不能处理高维化学变量以及催化过程中时间-空间的非线性关系。在计算中定量表示多孔催化材料复杂的三维孔道结构以及在计算中表示有机模板导向分子的结构需要图神经网络等前沿深度学习技术。开发人工智能算法用以精准预测实验变量与实验结果之间的关系十分必要。在精准预测能力的基础上，催化材料自主智能研发实验室还应具有自我学习的能力，能够自主迭代优化实验条件，批次优化催化材料结构和性能。上述任务需要开发主动学习、元启发、贝叶斯优化、受约束多目标优化等算法。有机模板导向分子的逆合成推荐路径则需要结合蒙特卡洛树搜索、生成等算法和强化学习等人工智能技术。

大数据和人工智能驱动催化新材料制造的关键载体是智能设备与互联控制系统。催化材料自主智能研发实验室最直观的表现形式是移动机器人自主对仪器设备进行操作以及完成样品试剂在不同仪器之间的取放和转移。移动机器人作为核心设备，依赖先进控制技术和多传感信息融合技术实现高精度自主导航和机械手的柔性控制。互联控制系统保证各仪器与移动机器人之间数据、状态及指令的交互，依据AI决策优化算法产生的实验参数和流程，控制移动机器人和仪器设备的运行，完成实际实验操作。实际运行中，存在着不同设备原始制造商的多种通信协议、催化材料工艺流程复杂多变等挑战。为了克服上述挑战，需要搭建工业软件定义的互联控制系统，实现不同交互协议的高速转换以及灵活的设备组网和重构。

7.3.2　重点任务

7.3.2.1　催化材料信息学大数据中台的建设

催化材料信息学是化学信息学和材料信息学交叉的独特子领域。在材料基因工程思想指导下，一大批高通量模拟计算材料数据库都可以用来辅助催化材料的设计筛选，比如一系列包含分子筛和有机金属框架等多孔催化材料的模拟计算结构数据库，以及包含大量催化过程相关模拟计算结果的CatAPP数据库。由于多相催化材料及催化过程复杂的本质，催化材料信息包含了额外的动态过程、表面环境及多尺度层面上的信息。不同于传统材料的“结构-性质”模式，催化材料的探究模式更适合采用“动态过程-（结构+环境）-性质”框架。催化材料信息学数据库应包含材料结构数据、表面环境数据以及催化反应动力过程数据。结合吸附-能量“比例关系”与密度泛函理论计算可以建立电子结构、活性位结构、吸附质结构与吸附能关系数据库。第一性原理方法可以进一步与机器学习技术结合，用来在更复杂的表面下，在更长的时间尺度上，进行原子层面上的催化模拟计算。原位与瞬态表征技术的发展，提供了用于连接微观催化结构与宏观催化反应动力过程的数据。

催化材料自主智能研发实验室注重理论计算与实际实验的结合，因此催化材料信息学大数据中也应包含高通量实验平台产生的数据，以及海量催化科学文献与专利中包含的实验数据。特别是以分子筛为代表的多孔催化材料文献中包含了大量的失败实验数据，而失败的实验数据对于降低机器学习的预测偏见是十分有益的。为了充分挖掘和利用文献和专利中的数据，利用自然语言处理技术、正则表达式等文本挖掘技术，开发自动化文献和专利数据标注抓取工具十分必要。利用自动化文献和专利数据抓取工具，实现从文字段落、表格以及图片中自动识别和收集相关信息。催化材料信息学大数据中包含了催化材料多尺度结构数据、催化反应界面数据、实验条件与结果数据、表征与反应评价数据。上述数据遵循不同的展现形式（如表、线、图等），为了完成后续的机器学习等分析任务，有必要开发数据清洗以及格式转换工具。可扩展标记语言（XML）和关系数据库可提高催化材料数据库的交互性。借鉴语义网（Web 3.0）思想来存储化学信息，从而构建化学知识图谱，是国际上的新兴趋势。化学语义网所用化学标记语言（CML）包含了原子、分子、计算化学、频谱、晶体学和聚合物的描述。

相比于材料基因工程，催化材料自主智能研发平台的特征之一是由“数据的挖掘”升级为“知识的挖掘”。相应地，需要针对催化材料信息学大数据中台开发智能化管理软件，实现智能审编、分类管理以及垂直搜索功能，关联整合大数据可视化技术，建立催化材料信息知识图谱平台。将数据转换为知识需要对知识进行定量化定义。对于催化材料而言，知识通过微动力学模型表现。微动力学模型能够解释并优化催化剂的性能，也可以通过对新材料催化行为的预测发现新催化剂。融合了实验大数据与微动力学模型的催化材料数据中台有望孕育出“知识引擎”，用来加速对催化材料的理解与发现。通过催化领域科研人员的共同努力，以及利用开源数据库和软件工具，上述任务有望完成。

7.3.2.2　催化材料制备工艺AI决策优化软件开发

以分子筛为代表的多孔材料是化学工业中最常用的非均相催化剂。根据第一性原理计算，理论上存在百万种分子筛结构，然而目前合成出的分子筛结构不到260种。分子筛的合成挑战在于高维（实验变量可高达10多种）化学空间中的实验参数（比如凝胶组分比例、老化处理方法、有机模板剂的种类等）对于分子筛成核结晶的作用是高度复杂、非线性的。实现分子筛孔道结构的定向合成调控仍是没有解决的开放性难题。催化反应同样存在目标输出（活性、选择性）与反应条件（温度、压力、溶剂等）之间关系复杂的问题。传统的统计学方法（实验设计）与理论模型不能完全描述整个复杂过程。基于数据驱动的机器学习则十分擅长挖掘高维非线性关系。因此，催化材料自主智能研发实验室的核心任务是开发制备与反应工艺的人工智能决策优化软件。

利用机器学习优化催化材料的制备工艺的前提是确定催化材料结构在计算机中编码的问题。多孔催化材料的结构往往需要更精巧的编码方法才能将材料的局部结构环境和全局结构信息进行有效融合。开发多孔晶体机器学习描述符需要借助图神经网络算法。此外，分子筛的合成往往依赖于有机导向模板剂分子的筛选设计，因此，研究分子结构在计算机中的编码方法十分重要。依据AI制药领域的经验，基于深度学习的编码器将分子结构转换为稠密连续的、可学习的隐式空间中的向量，相比传统的二维或三维编码器，更适合用于分子性质的预测。

人工智能优化催化材料的制备工艺首先要能够精准预测实验条件-实验结构之间的关系以及催化材料-催化性能之间的关系。深度学习网络以及集成机器学习（通过构建并结合多个机器学习器来完成学习任务）模型具有强大的预测能力，能够映射复杂的非线性关系。在高精度预测模型的基础上，结合元启发式（遗传算法、蚁群算法、模拟退火）算法，搜索、生成以及选取实验条件，迭代提升催化材料的结构和性能。开发基于概率的贝叶斯优化算法软件，对复杂化学机理进行映射，并迭代优化实验室参数，同时计算出置信区间并依据其决定重新预测的区域。结合实际约束情况，开发多步骤、多目标优化算法，实现帕累托最优（比如活性与选择性的最佳平衡点）。开发包含机理模型和数据驱动机器学习模型的智能混合算法，解决催化反应过程中的模拟、监测、预测和优化问题，提升模型的可解释性，深化人们对过程机理的理解。针对催化材料的表征评价，开发信号处理、先进统计学习算法，实现对各种表征数据（X射线衍射谱、X射线荧光光谱、电镜图片等）的自动识别和对材料组分结构的反演解析。针对有机模板导向剂的设计与合成，开发生成对抗算法、强化学习算法、图神经网络等，实现有机模板导向剂的逆向设计，以及针对目标结构逆向预测材料绿色、经济的合成路线。

7.3.2.3 催化材料研发平台智能互联系统建设

制备工艺AI决策优化引擎是催化材料自主智能研发实验室的“大脑”，智能互联系统则是自主智能催化材料研发实验室的“中枢系统”。智能互联系统依据AI优化引擎推荐的实验参数，产生实验流程时序逻辑，通过多种通信协议实现仪器与设备之间以及仪器与移动机器人之间数据、状态以及指令的交互，进而协同控制实验室所有单元，完成具体实验操作。在催化材料自主智能研发实验室架构中，网络是基础，为机、物、人全面互联提供基础设施，促进各种实验数据的充分流动和无缝集成。智能互联系统用于连接实验室内各种要素，包括仪器（如实验设备、控制设备）、材料（如原料、前驱体、半成品）、环境（如传感器、监测设备）等。催化材料自主智能研发实验室通过智能互联系统与企业数据中心及主干服务器互联，支持企业内的业务应用。

催化材料自主智能研发实验室涵盖了“合成—表征—评价”全流程，合成、表征以及评价设备往往来自不同的制造商，因此各仪器和设备具有不同的通信协议。比如催化材料自主智能实验室可能同时存在多种现场总线协议（PROFIBUS、CC-Link等）、工业以太网协议（Ethernet、PROFINET等）以及工业无线协议（WLAN、WIA-FA等）。不同通信协议的开放性和兼容性不同，影响了仪器设备之间的互联互通。然而智能实验室系统对现场的实时工艺过程数据和设备状态数据有着强烈需求。利用先进的网络技术实现不同协议的高速转换，实现高实时性、高可靠性数据通信，是智能互联系统面对的主要任务之一。

另外，催化材料的合成工艺与反应工艺流程复杂多变，要求智能实验室的网络架构灵活多变。为了实现催化材料的柔性制造，智能互联系统建设的主要内容为开发基于软件定义的工业网络（SDN），实现信息网络和控制网络的深度融合，从而构建柔性、灵活和敏捷的实验室网络。SDN由可编程的交换机、集中式的控制器以及涵盖多种协议的终端设备组成。SDN的核心作用是通过软件定义的方式对网路设备进行管理配置，提高网络系统的可呈现度，通过直观友好的管理界面对网络信息设备和网络控制设备及流量进行统一的监控和管理。当催化材料与反应工艺改变时，仪器设备之间的联网和通信关系也会发生改变。SDN通过软件定义的方式重新定义交换机中的转发规则，使之能够快速适应新的联网方式，实现仪器设备的灵活组网。SDN也能够通过可编程的交换机识别不同的通信协议，按照相应的协议规定转发数据和指令，从而实现采用不同协议的仪器设备的统一管理。

7.3.2.4 催化实验编程语言和集成开发环境建设

催化材料自主智能研发实验室不仅能自主进行实验设计和优化，迭代提升催化材料的结构和性能，而且能够阅读并理解文献中的实验步骤，与实验人员进行协作，共同完成化学实验，提升实验操作的规则化和可重复性。催化实验编程语言和集成开发环境提供了直观的人机交互界面，同时能够提升硬件系统的通用性和可扩展性。比如，实验人员想重复某一篇分子筛合成文献的实验操作，只需将文献中分子筛合成描述的段落复制并粘贴到化学实验编程语言系统中，系统通过自然语言处理等算法，自动将文献中的实验段落转换为规则化的操作序列流程，集成开发环境进一步对规则化的操作序列流程进行编译，对硬件系统状态进行校验，若硬件状态不满足实验条件，开发环境则会提示实验人员进行试剂更换等操作以满足实验要求，开发环境最终生成可执行文件，生成的可执行文件则驱动仪器设备完成相应的实验操作。

尽管机器人化学合成系统近年来常见于有机合成文献中，但目前特定的机器人化学合成系统往往只局限于某些特定的反应类型，系统缺乏通用性、可拓展性以及跨平台的可交互性。造成上述缺陷的原因之一是缺乏通用的标准的机器人化学合成平台操作系统。由于催化材料制备和催化反应的复杂性，文献中不同作者对实验描述的语言风格各异。借助自然语言处理技术，催化实验编程语言和集成开发环境能够将语言风格各异的实验描述转换为抽象的元操作（比如搅拌、加热等）序列，从而保证实验的规则化和可重复性。集成开发环境进一步将规则化的元操作序列和包含硬件模块信息的图文件结合，并且编译成和具体硬件配置信息相关的底层机器人操作指令文件，从而驱动机器人化学合成系统完成文献中的实验。催化实验编程语言和集成开发环境是一种独立于硬件的通用机器人化学合成平台操作系统，能够将文献里的实验描述编译到不同硬件平台的执行文件中，提升实验的可重复性以及机器人化学实验系统的通用性。

7.4　亟待突破的基础理论、方法以及技术

催化材料自主智能研发实验室（平台）由四个功能性单元组成：数据管理单元、决策优化单元、编排单元以及实验执行单元。搭建催化材料自主智能研发实验室首先要解决上述各功能性单元涉及的技术问题。

7.4.1　数据管理单元

数据管理单元负责收集和共享高质量的实验和理论数据，进行数据管理，包括维护数据库、数据清洗、数据验证和异常值检测等任务。除了高通量模拟计算数据库以及高

通量实验产生的真实数据，催化材料文献和专利中同样包含了大量的实验信息，特别是催化材料文献中包含了很多失败的实验信息。为了充分利用文献和专利中的数据，需要开发自然语言处理工具对段落、图表中的信息进行自动识别和提取。数字信息的数字化存储和交换是催化材料自主智能研发平台的基础要素。然而目前还没有统一的标准来表示化学实验结果和配方。异构化的数据格式缺乏互操作性，妨碍了充分利用数据中嵌入的信息。特别是以分子筛为代表的多孔催化材料的制造，涉及无机和有机合成以及多种高维表征频谱，其化学信息的存储格式和交换协议存在额外的复杂性。借助可扩展标记语言（XML）和关系数据库来存储化学信息可提高数据库的交互性。借鉴语义网（Web 3.0，CML 格式）技术来存储化学信息，是未来的趋势。开发化学语义网，利用化学标记语言可对原子、分子（高分子）、计算化学、频谱、晶体学进行标准结构化描述，从而利于构建化学知识图谱。

7.4.2 决策优化单元

人工智能技术（包括机器学习和深度学习技术）将在催化材料自主智能研发平台上发挥至关重要的作用，智能的计算策略能够让平台迭代优化实验设计。人工智能技术可以帮助在满足约束条件下（例如时间、预算、可行性）优化高维化学参数（例如催化反应条件、催化材料合成）。针对催化材料自主智能研发平台，需要重点开发逆向设计和主动学习这两大类技术。

材料的逆向设计旨在生成具有指定功能的材料结构。近年来，生成算法在新材料的逆向设计领域展现了巨大潜力。深度学习中的生成算法主要包括变分自编码器（VAE）、生成对抗网络（GAN）以及结合强化学习（RL）等的混合模型。变分自编码器将分子结构在计算机中编码为连续空间中的向量结构，通过深度学习网络，建立对分子性质的映射，对分子结构的优化类比于在连续向量空间的搜索。结合图神经网络和生成对抗网络可以发现新型晶体结构以及预测相对应的性能。生成算法目前存在如下缺点：产生的结构有时缺乏多样性和可合成性；模型的质量过于依赖训练数据集的质量；对模型的量化评价标准不够清晰等。克服上述缺点，开发新型生成算法，对新型多孔催化材料结构和新型有机结构导向剂分子的预测设计至关重要。

结合主动学习算法，通过迭代优化实验条件，可辅助设计出的新材料的合成方法题。主动学习类算法主要包括元启发式算法和贝叶斯优化算法。以粒子群算法、蚁群算法以及模拟退火算法等为代表的元启发式算法适用于解决信息不完备或者计算能力受限的最优化问题，能够搜索或生成一个启发式方案，为最优化问题提供足够好的解，因此适用于复杂的化学机理场景。贝叶斯优化是基于概率的方法，适用于复杂化学关系黑盒模型的全局优化。贝叶斯优化由代理模型和采集函数构成。代理模型进一步由先验概率和似然分布（描述产生数据的机制）组成。基于已有数据，通过先验概率、似然分布可更新后验概率分布。基于后验概率分布，采集函数选取下一个最有效的采样点。然而贝叶斯优化模型参数（先验概率分布、采集函数形式等）的选择仍是一个具有挑战性的开放问题，因此开发新型高效的贝叶斯模型参数设计策略，对于在高维化学空间中高效迭代优化实验方案十分关键。同时，针对实际生产过程情况，考虑约束条件（经济、环境成本等），开发多目标优化算法（比如活性和选择性的综合最优），对催化新材料的研发和优化大有裨益。

7.4.3　编排单元

编排单元发挥着催化材料自主智能研发平台指挥中枢的作用，确保整个系统准确无误地按照决策优化单元给出的实验参数和流程完成相关实验。编排单元需要开发化学实验操作系统，其中集成了决策优化子系统、工业互联网调度子系统以及智能人机交互界面。决策优化子系统包含了各种人工智能算法模型。工业互联网调度子系统实现决策优化引擎、仪器设备与复合机器人之间的数据通信。为了实现不同仪器设备的多种通信协议的统一转换，以及智能研发平台与企业骨干业务网络的融合，亟待开发软件定义的工业融合网络。由于新催化材料研发任务往往产生繁杂多变的工艺流程，需要对仪器设备实现灵活组网和重构，软件定义的工业融合网络的开发同样有益于上述研发场景。目前国际上已经出现了多种化学实验操作系统，然而现有系统往往只适用于特定材料研发体系或反应体系，为了提升系统的兼容性以及整个催化材料自主智能研发平台生态的茁壮成长，化学实验操作系统应采用开源编程语言（比如Python），采用面向对象编程、模块化设计策略，以提升系统的可扩展性。

催化材料自主智能研发平台另一个重要工作场景是与实验人员协同合作，因此智能人交互界面的开发十分必要。例如，实验人员计划对某篇文献实验进行复现，通过智能人机交互界面，将文献中的实验方法描述段落复制到系统中，系统能够理解实验方法描述，通过工业互联网调度子系统，远程控制仪器和机器人进行相应的实验。上述功能的实现需要开发对语句序列进行规则化转换的Transformer网络架构等自然语言处理算法以及化学实验编译器；规则化的动作序列进一步结合硬件设备信息，形成可扩展标记语言（XML）文件；化学实验编译器将XML文件编译成可执行文件（EXE文件），进而驱动仪器设备运行。

7.4.4 实验执行单元

催化材料自主智能研发平台通过实验执行单元完成实际的实验操作。实验执行单元由高通量系统和复合机器人构成。从21世纪初开始，随着组合化学的兴起，高通量合成和表征评价系统得到了长足的发展，国际上多家厂商提供了商业化的产品。然而不同的仪器制造商往往遵循各自独立的数据和通信标准，软硬件接口与其他厂商兼容性不高，这为编排单元的操作系统开发带来了额外困难。为了促进整个催化材料自主智能研发平台生态的健康发展，各仪器制造商应该积极拥抱开源社区（如树莓派、Arduino），提供开放透明的软硬件交互接口（API）。复合机器人需要在可能拥挤的化学实验室内穿梭，自主完成材料试剂在仪器间的转移和取放，因此需要开发同步定位与地图构建技术、多传感信息融合技术以及先进的控制算法，以实现机器人的高精度移动、感知和抓取。

7.5 发展策略与路线图

7.5.1 发展策略

加强复合型创新人才的培养。大数据与人工智能驱动催化新材料制造需要掌握计算科学、信息学、化学与材料学的复合型人才队伍。高校和科研院所应重点推动材料学与工程教育体系的变革，形成融合化学材料、计算机、自动化、人工智能等专业课程的教学体系，推广多学科联合培养计划，培养具有新理念和掌握新方法新技术的复合型创新人才。注重校企联合培养，聘请企业技术专家为客座讲师，提高学生对工业机理模型、工业控制软件的认识。企业应注重培养引进兼具技术与管理能力的复合型人才，探索联合培养，并且完善创新成果认定机制，鼓励信息部门人员与实验生产部门人员轮岗。

通过仪器、AI技术、机器人技术与工业互联网技术的深度融合，构建新型创新链、产业链，抢占战略新兴领域。我国仪器行业基础薄弱，中高端仪器严重依赖进口。在机器人与工业软件领域，国外公司将高端工业控制算法与机理模型固化在旗下产品中，形成了市场垄断。数据科学的兴起将推动数据分析产业的发展。以工业互联网平台为载体的AI成为未来的产业焦点，有望打破知识封闭、龙头企业垄断的传统封闭产业链格局。我国在互联网经济中取得的AI沉淀，使海量的第三方开发者能够快速交付应用程序，伴随着开源模式，AI将在智能仪器、工业互联网等领域得到拓展应用。基于算法与模型、开源操作系统、专用芯片架构以及基于数据的分析服务四大重点环节，以催化材料自主智能研发平台为突破点，以点带面构建“智能仪器+工业操作系统+工业互联网”新型产业链，促进整个产业体系升级，聚焦中游集成平台发展，带动上游仪器制造商、FPGA 硬件厂商等，推动下游信息技术的延伸布局，如基于数据分析的服务。

7.5.2 发展路线图

现代社会不断增长的能源需求导致化石能源的快速消耗以及气候变化等环境问题的增加，低碳和绿色可持续发展社会发展的基石之一是高性能催化材料。依照传统试错研发模式，新型催化材料从实验室小试到工业化应用需要 10 ～ 15 年的时间。为了加速材料研发速度，“十三五”期间的材料基因工程显著地推动了数据驱动的材料科学研究形成“第四范式”。高通量实验平台以及自然语言处理技术在材料研发文献和专利数据挖掘中的应用，为机器学习加速材料研发提供了数据基础。基于催化材料大数据的人工智能将会显著加速催化新材料的发展，快速预测和制备出满足工程需求的催化新材料。人工智能可以辅助化学家设计实验，更加高效地在高维化学空间中选取采样点，并提出具有创造性的想法。结合因果推理、可解释性、鲁棒性和不确定性估计需求的人工智能算法和模型，将会加速科学家对催化知识的挖掘，加深科学家对催化机理的理解，辅助科学家总结原创性的催化新理论，进而指导催化新材料的创制。

结合人工智能技术、机器人技术以及工业互联网技术，搭建催化材料自主智能研发平台，贯穿材料研发“合成—表征—评价”全链条，实现催化新材料自主发现和优化，是大数据和人工智能驱动催化新材料制造发展策略的核心表现形式。目前国际上催化材料自主智能研发平台（比如利物浦大学的机器人催化科学家）仍然处于概念验证阶段，已有的演示案例局限于特定的系统。目前还没有能够针对不同的材料系统或反应体系的通用的催化材料自主智能研发平台。模块化是实现通用性目标的关键之一。用于候选材料生成、实验条件自主优化以及逆合成推荐的人工智能算法模块库，以及能够对广泛材料体系进行合成和表征操作的、模块化的、即插即用灵活定制的机器人工作站将变得普及。随着仪器设备单元的增加和系统的扩展，高层次编排器的开发也至关重要。编排器用来连接催化材料自主智能研发平台各仪器设备、机器人与 AI 算法，实现对平台软硬件资源的调度控制。编排器的核心技术是软件——化学实验操作系统（ChemOS）。化学实验操作系统主要由三个模块构成：学习模块用于评估和优化实验；通信模块用于促进系统各功能单元的交流；调度模块用来对仪器设备进行远程操作。未来，化学实验操作系统将是十分活跃的领域，势必受到学术界、工业界以及政府和机构的关注。

大数据与人工智能赋能化工新材料制造战略研究

Strategic Study on Big Data and
AI Empowerment for Intelligent Manufacturing for
Advanced Chemical Materials

第8章　人工智能驱动化工新材料制造的政策建议

我国已跃升为全球首屈一指的“材料大国”，在钢铁、有色金属、石化、建材、轻工及纺织六大国民经济支柱领域，材料产量均稳居全球总量半数以上，为国际产业链供应链稳定作出重要贡献。然而，面对全球制造业智能化、绿色化转型浪潮，我国材料产业仍存在高端产品供给不足、核心技术受制于人、资源环境约束趋紧等结构性矛盾，亟待通过系统性变革实现从规模优势向质量效益优势的跨越。

本章结合国内外制造业发展态势和我国国情提出了人工智能驱动化工新材料制造的政策建议。

我国已经成为全球名副其实的“材料大国”，广泛应用于国民经济建设的钢铁、有色金属、石化、建材、轻工和纺织六大领域的材料的产量，均占全球一半以上。但总体而言，材料产业转型升级和提升国际竞争力是我国材料领域面临的共性问题。

对此，结合国内外制造业发展态势和我国国情，提出如下建议。

（1）整合科技资源，研发一批具有全局性影响、带动性强的原创性关键技术、软件和系统

智能装备软件系统、数据分析软件以及过程优化软件等依赖国外产品，严重制约了我国新材料产业的智能化进程。对此，需要协调、整合各类国家科技资源，合理配置创新要素，加强对原创性、系统性、引领性创新研究的支持，设立重大基础科学研究基金、科技专项和创新载体，研发一批具有重大影响的核心技术和系统，加大国产软件和系统的研发投入。梳理并给出材料基因组、材料高通量模拟、高精度调控等关键技术的储备清单，包括新材料生产准备技术的科研机构、生产企业和下游消费企业，制定工业软件“卡脖子”应急预案，建立化工新材料制造相关软件的监测预警机制，制定关键软件供应保障方案，建立完善的应急处置机制。设立重大项目，开展有组织的创新，以关键材料的创制和突破，推动基础材料和前沿新材料的发展，促进材料信息学等新学科的形成，是锻造我国新材料发展“长板”，构筑新材料国际竞争优势，抢占新材料科技和产业创新高地，提升国际地位的重大战略举措。构筑关键材料智能化高质量制造的创新基础设施和发展生态，构建和推广应用关键材料数据驱动的智能化研发和制造新模式，引领材料产业转型升级，实现换道超车。

（2）激活化工新材料科技创新体制机制，加强战略型领军人才引进与培养，为新材料产业发展注入强劲动力

由于化工新材料处于化工产业链的末端，以往大企业对此涉足较少，学科领域高层次人才比较短缺，创新能力不足，制约了新材料产业的发展。建议国家超前布局，一方面从国家层面加大海外人才特别是战略型专业领军人才的引进，另一方面依托高校和企业联合培养行业数字化转型、工业软件等领域的卓越人才和青年领军人才，选拔优秀青年科技骨干，支持有发展潜力的青年骨干人才承担后续重大项目的组织和策划，通过压担子、给机会等方式，促进其成长。整合该领域内全国科研优势突出的高校、行业骨干企业，形成权责清晰、分工明确、利益共享的合作关系，形成协同攻关模式，面向企业需求，构建“关键技术需求—全国揭榜挂帅—联合技术攻关—技术需求响应与应用落地”创新闭环。针对行业工业软件研发中的重大科学问题、工程技术难题和产业技术问题，通过“揭榜挂帅”“赛马制”等产学研合作攻关模式，推动基础理论与应用基础理论的发展，形成典型行业应用案例。

（3）推进以企业为创新主体的产、学、研、用协同创新，加快构建重点化工新材料的全产业链，提高市场竞争力

新材料产业是战略性、基础性产业，是高技术竞争的关键领域，已经成为国家竞争力的重要体现。我国化工新材料市场消费需求旺盛，在国家新材料产业政策的激励下，化工新材料开发受到普遍重视，许多省市出台了“十四五”化工产业发展规划，将化工新材料列为发展重点；国内相关科研院所、石化企业，都在积极布局并加大化工新材料的研发投入。国际石化巨头也纷纷进军中国化工新材料市场，近几年新建的大型石化项目也均将新材料作为重点产品线，项目运营呈现主体多元化格局。在此背景下，需要国家做好顶层规划设计，以国家级新材料科研项目为抓手，以大型石化企业为创新主体，发挥创新投入和生产运营主体作用，相关高等院校、科研院所参加，共同促进产学研用深度融合和协同创新，弥补石化企业产业链短板，同时与下游应用企业紧密联合，推动科技成果转化。

参考文献

[1] 赵颖. 化纤联盟持续发挥技术创新链优势[J]. 纺织科学研究，2021, (01): 28-29.

[2] 罗益锋. 我国特种纤维研究及产业历程回顾[J]. 新材料产业，2019, (08): 46-50.

[3] 刘树英. 国际超细纤维开发动向与发展趋势（一）[J]. 中国纤检，2016, (05): 134-138.

[4] 孙俊杰. 巨石：基于工业大数据的玻璃纤维数字化工厂建设[J]. 中国工业和信息化，2022, (01): 62-66.

[5] 靳高岭. 我国碳纤维产业现状及发展前景[J]. 高科技纤维与应用，2021, 46(03): 11-14.

[6] 李仲平，冯志海，徐樑华，等. 我国高性能纤维及其复合材料发展战略研究[J]. 中国工程科学，2020, 22(05): 28-36.

[7] 黎淑婷，张海煊，滕万红. 智能服装的应用现状及发展前景[J]. 纺织科技进展，2019, (04): 4-7.

[8] 中国纺织工业联合会. 我国纺织行业"十四五"科技发展指导意见（一）[J]. 合成纤维，2021, 50(07): 58-59.

[9] 高华斌. 过去五年纺机的这些变化，您感受到了吗? [J]. 中国纺织，2021, (01): 100-102.

[10] 同黎娜. 化纤业角逐智能化赛道[N]. 中国纺织报，2021-06-09.

[11] 宁翠娟. 纺织新材料创新路径[J]. 纺织科学研究，2021, (06): 28-35.

[12] Oerllikon的RoTac^{3}交络单元获得全面技术改进[J]. 纺织导报，2020, (04): 8.

[13] 姜国华. 全国纺织行业第三批"中国纺织大工匠"命名推介大会在潍坊举行[J]. 东方企业文化, 2021, (06): 9-14.

[14] 丁晓炯. 碳纤维生产过程中的在线黏度测量解决方案[J]. 高科技纤维与应用，2018, 43(01): 26-31.

[15] 袁春妹. 以"智"为媒推进行业创新设计"中丽杯"纺织智能装备设计大赛特别报道[J]. 纺织机械，2021, (04): 42-45.

[16] 孙俊杰. 新凤鸣："互联网+"模式下化纤智能工厂建设之路[J]. 中国工业和信息化，2021, (10): 68-73.

[17] 郭春花，许依莉. 以大数据、智能制造赋能纤维新材料发展[J]. 纺织服装周刊，2022, (07): 20.

[18] 万雷. 我国化纤行业智能制造发展现状及展望[J]. 合成纤维工业，2018, 41(06): 36-41.

[19] 邓桂芳. 碳纤维行业发展趋势分析[J]. 化学工业，2015, 33(09): 13-18.

[20] 曹维宇，杨学萍，张藕生. 我国高性能高分子复合材料发展现状与展望[J]. 中国工程科学，2020, 22(05): 112-120.

[21] 陈向玲，王华平，吉鹏. 我国化纤智能制造的柔性与多目标生产[J]. 纺织导报，2020, (03): 13-14+16-18+20-22+24-25.

[22]《中国智能制造绿皮书》编委会 编著. 中国智能制造绿皮书(2017)[M]. 北京：电子工业出版社，2017.

[23] 郭春花. 张国良：让中国造碳纤维立足世界舞台[J]. 纺织服装周刊，2020, (41): 94-95.

[24] 徐爱武，梁燕，蒋玲玲. 大丝束碳纤维发展现状及我国技术瓶颈和发展建议[J]. 合成纤维，2020, 49(06): 19-23.

[25] 王子焱，钟昊天，贾钰，等. 连续玄武岩纤维生产与制品开发现状分析[J]. 矿产保护与利用，2020, 40(03): 161-178.

[26] 王永生，李泽洲，李增俊. 生物基化学纤维产业分析[J]. 棉纺织技术，2021, 49(04): 37-42.

[27] 宿彦京，付华栋，白洋等. 中国材料基因工程研究进展[J]. 金属学报，2020, 56(10): 1313-1323.

[28] 宋福如. 特种纤维及其系列制品产业化现状与发展[J]. 新材料产业，2011, (09): 33-36.

[29] 中国玻璃纤维工业协会. 玻璃纤维行业明确"十四五"发展目标[J]. 居业，2021, (10): 1.

[30] 胡兰捷，胡艳生. 蕲春县中药材产业发展的SWOT分析[J]. 农村经济与科技，2013, (11): 128-130.

[31] 张红. 新一代聚酯纤维智能制造关键技术发展方向及展望[J]. 纺织科学研究，2021, 200(08): 57-59.

[32] 商龚平，马琳. 对我国高性能纤维产业发展的思考[J]. 新材料产业，2019, (01): 2-4.

[33] 于雯雯. "可编程控制器智能制造数字化车间"项目实施与研究[D]. 北京：北京化工大学，2019.

[34] 董雅琪. 数字化赋能的应用案例及典型场景[J]. 纺织科学研究，2022, (01): 16-18.

[35] 杨继刚. 向智能制造转型：平台赋能是关键[J]. 中国工业和信息化，2021, (10): 74.

[36] 叶壮志，庞也驰，胡行同 等. 印刷企业实施网络协同制造的思路与技术实现[J]. 数字印刷，2022, (02): 110-121.

[37] 云飞. "未来工厂"打造智造之路[J]. 信息化建设，2021, (01): 1.

[38] 王阳元 主编. 集成电路产业全书[M]. 北京：电子工业出版社，2018.

[39] 俞文杰，等编著. 集成电路材料基因组技术[M]. 北京：电子工业出版社，2021.

[40] https://baijiahao.baidu.com/s?id=1733050819477493565&wfr=spider&for=pc.

[41] https://www.sohu.com/a/549277262_120928700.

[42] 冯黎，朱雷. 中国集成电路材料产业发展现状分析[J]. 功能材料与器件学报，2020，26(03): 191-196.

[43] https://www.qianzhan.com/analyst/detail/220/211101-da859f46.html.
[44] 深圳市容大感光科技股份有限公司招股说明书.
[45] https://baijiahao.baidu.com/s?id=1721639487042425284&wfr=spider&for=pc.
[46] 上海硅产业集团有限公司招股说明书.
[47] 东方证券研究所.
[48] https://view.inews.qq.com/a/20220510A04H9M00.
[49] https://cn.dow.com/zh-cn/news/dow-polyurethanes-fast-tracks-its-digital-transformation.html.
[50] https://www.xianjichina.com/special/detail_495416.html.
[51] https://www.sohu.com/a/154386473_208805.
[52] https://mp.weixin.qq.com/s/4W61BMKmW8rZUU1GKlBtog.
[53] 龚维幂，任红轩，万菲. 世界纳米科技企业现状与我国纳米企业发展需求分析[J]. 新材料产业，2014, (08): 27-32.
[54] Meroni D, Ardizzone S. Preparation and application of hybrid nanomaterials[J]. Nanomaterials, 2018, 8(11): 891.
[55] Axinte D, Billingham J, Bilbao Guillerna A. New models for energy beam machining enable accurate generation of free forms[J]. Science Advances, 2017, 3(09): e1701201.
[56] 张华丽. 基于扫描探针显微镜的纳米加工相关理论及技术研究[D]. 哈尔滨：哈尔滨工业大学，2008.
[57] 国务院."十三五"国家战略性新兴产业发展规划(全文)[J]. 中国战略新兴产业，2017, (01):57-81.
[58] 孙志梅，王冠杰，张烜广，等. 材料基因工程加速新材料设计与研发[J]. 北京航空航天大学学报，2022, 48(09): 1575-1588.
[59] 张梦然. 机器学习预测复杂新材料合成[N]. 科技日报，2021-12-23(004).
[60] Jain A, Ong S P, Hautier G , et al. Commentary: The materials project: A materials genome approach to accelerating materials innovation[J]. APL Materials, 2013, 1(01): 011002.
[61] 林海，林原，潘锋."基于材料基因组的全固态锂离子电池研究"获国家立项[J]. 储能科学与技术，2016, 5(06): 922-925.
[62] 林海，郑家新，林原，等. 材料基因组技术在新能源材料领域应用进展[J]. 储能科学与技术,2017,6(05):990-999.
[63] 张军. 制造过程智能化检测监控技术与系统研究[D]. 南京：南京理工大学，2003.
[64] Madsen J, Liu P, Kling J, et al. A deep learning approach to identify local structures in atomic - resolution transmission electron microscopy images[J]. Advanced Theory and Simulations, 2018, 1(08): 1800037.
[65] 谢建新. 材料加工技术的发展现状与展望[J]. 科技致富向导，2003, 39(09):29-34.
[66] Parrish P A, Barker W G. The basics of the intelligent processing of materials[J]. JOM, 1990, 42(07): 14-16.
[67] 谢建新，刘雪峰，周成，等. 材料制备与成形加工技术的智能化[J]. 机械工程学报，2005,(11):8-14.
[68] 向丹. 粉末冶金技术中智能控制的应用[J]. 中国金属通报，2019,(05):9-11.
[69] Torche P C, Silva A, Kramer D, et al. Multi - scale model predicting friction of crystalline materials[J]. Advanced Materials Interfaces, 2022, 9(04): 2100914.
[70] 曹礼群，黄记祖. 复合材料与界面纳米结构热传导问题分子动力学与连续介质跨尺度耦合模型与算法[J]. 科技资讯，2016, 14(19): 177.
[71] Joossens E, Macko P, Palosaari T, et al. A high throughput imaging database of toxicological effects of nanomaterials tested on HepaRG cells[J]. Scientific Data, 2019, 6(01): 46.
[72] Chen C, Zuo Y, Ye W, et al. Learning properties of ordered and disordered materials from multi-fidelity data[J]. Nature Computational Science, 2021(01): 46-53.
[73] Hoseini S S, Najafi G, Ghobadian B, et al. Impeller shape-optimization of stirred-tank reactor: CFD and fluid structure interaction analyses[J]. Chemical Engineering Journal, 2021,413: 127497.
[74] Li L, Xu B. CFD simulation of hydrodynamics characteristics in a tank with forward-reverse rotating impeller[J]. Journal of the Taiwan Institute of Chemical Engineers, 2022,131: 104174.
[75] West R H, Celnik M S, Inderwildi O R, et al. Toward a comprehensive model of the synthesis of TiO_2 particles from $TiCl_4$[J]. Industrial & Engineering Chemistry Research, 2007, 46(19): 6147-6156.
[76] Mularski J, Modliński N. Impact of chemistry-turbulence interaction modeling approach on the CFD simulations of entrained flow coal gasification[J]. Energies, 2020, 13(23): 6467.
[77] Zeng Q, Gao Y, Guan K, et al. Machine learning and a computational fluid dynamic approach to estimate phase composition of chemical vapor deposition boron carbide[J]. Journal of Advanced Ceramics, 2021, 10(03): 537-550.
[78] Sitapure N, Epps R, Abolhasani M, et al. Multiscale modeling and optimal operation of millifluidic synthesis of

perovskite quantum dots: Towards size-controlled continuous manufacturing[J]. Chemical Engineering Journal, 2021, 413(01): 127905.

[79] Yu W F, Zhou X P, Zhang W, et al. Establishment and application of simulation mode on the nano-conductive carbon black process[J]. Advanced Materials , 2012, 415-417: 728-734.

[80] Jose N A, Kovalev M, Bradford E, et al. Pushing nanomaterials up to the kilogram scale—an accelerated approach for synthesizing antimicrobial ZnO with high shear reactors, machine learning and high-throughput analysis[J]. Chemical Engineering Journal, 2021, 426(02): 131345.

[81] Watanabe K, Orimoto Y, Yamashita K, et al. Development of automatic combinatorial system for synthesis of nanoparticles using microreactors[J]. IOP Conference Series: Materials Science and Engineering, 2011, 18(08): 082010.

[82] Wang X, Palero V, Soria J, et al. Laser-based planar imaging of nano-particle fluidization: Part Ⅰ-determination of aggregate size and shape[J]. Chemical Engineering Science, 2006, 61(16):5476-5486.

[83] Wang X, Palero V, Soria J, et al. Laser-based planar imaging of nano-particle fluidization: Part Ⅱ-mechanistic analysis of nanoparticle aggregation[J]. Chemical Engineering Science, 2006, 61(24):8040-8049.

[84] Morimoto M, Fukami K, Fukagata K. Experimental velocity data estimation for imperfect particle images using machine learning[J]. Physics of Fluids, 2021, 33(08): 87121.

[85] Rabault J, Kolaas J, Jensen A. Performing particle image velocimetry using artificial neural networks: A proof-of-concept[J]. Measurement Science and Technology, 2017, 28(12): 125301.

[86] Al-Khedher M A, Pezeshki C, McHale J L, et al. Quality classification via Raman identification and SEM analysis of carbon nanotube bundles using artificial neural networks[J]. Nanotechnology, 2007, 18(35): 55703.

[87] Madsen J, Liu P, Kling J, et al. A deep learning approach to identify local structures in atomic - resolution transmission electron microscopy images[J]. Advanced Theory and Simulations, 2018, 1(08): 1800037.

[88] 代伟，胡金成，程玉虎，等. 基于随机权神经网络的在线自适应半监督学习算法及其在工业过程产品质量评价中的应用[J]. 中南大学学报，2019,26(12):3338-3350.

[89] 谢建新. 材料加工技术的发展现状与展望[J]. 机械工程学报，2003, 39(09):29-34.

[90] Choudhury A. The role of machine learning algorithms in materials science: A state of art review on industry 4.0[J]. Archives of Computational Methods in Engineering, 2021, 28(05): 3361-3381.

[91] Jin X, Yang L, Wang X. Efficient two-dimensional perovskite solar cells realized by incorporation of $Ti_3C_2T_x$ MXene as nano-dopants[J]. Nano-Micro Letters, 2021, (04): 234-246.

[92] Fanelli C, Cregan V, Font F, et al. Modelling nanocrystal growth via the precipitation method[J]. International Journal of Heat and Mass Transfer, 2021, 165(01): 120643.

[93] Du W, Li C, Sun J, et al. Nanolasers: Nanolasers Based on 2D Materials[J]. Laser & Photonics Reviews, 2020, 14(12): 2000271.

[94] Soni S K, Das K, Bhowal A C, et al. Chloroaurate ions below organic monolayers: Competitive accumulation and gold nanocrystal growth[J]. Chemical Physics Letters, 2020, 754: 137774.

[95] Taka A L, Doyle B P, Carleschi E, et al. Spectroscopic characterization and antimicrobial activity of nanoparticle doped cyclodextrin polyurethane bionanosponge[J]. Materials Science and Engineering, 2020, 115: 111092.

[96] Tiede D O, Rubino A, Calvo M E, et al. Monitoring, modeling, and optimization of lead halide perovskite nanocrystal growth within porous matrices[J]. The Journal of Physical Chemistry, 2020, 124(14): 8041-8046.

[97] Chakraborti N, Mishra P, Erkoc S. A study of the Cu clusters using gray-coded genetic algorithms and differential evolution[J]. Journal of Phase Equilibria and diffusion, 2004, 25(01): 16-21.

[98] Chakraborti N. Genetic algorithms in materials design and processing[J]. International Materials Reviews, 2004, 49(03/04): 246-260.

[99] Xie K, Zhou T. Optimization with different methods for material processing parameters[J]. Journal of Materials Processing Technology, 2007, 187/188: 706-710.

[100] 李初福，王如强，何小荣，等. 化工企业生产计划图形建模优化系统开发及其应用[J]. 计算机与应用化学，2007, 24(10): 1389-1392.